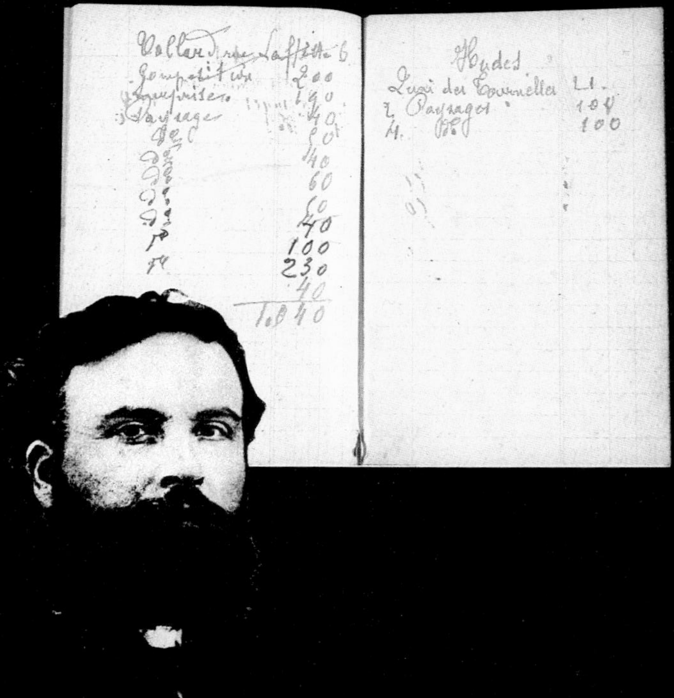

...Henri Rousseau fait des horreurs | qui font sourire.

...de curieux H. Rousseau : la Guerre sur l'horizontalité hérissée de son cheval effrayé, par-dessus les cadavres translucides d'axolotls : le portrait de l'Homme aux yeux chinois avec son petit toupet.

amoureu... Vauquelin.

Exposition des **Indépendants** (Suite). — Signalons parmi les œuvres les plus intéressantes celles de MM. Alfred Le Petit, Mlle Badois; Th. Benoît; Bercioux; Mme Berria-Blanc; Besnus; Boggio; Boistel; Bon-Bhajour; Chatellier; Cordier; Cross; Debray; Desbrochers; Devarenne; Mlle Dumoulin; Mme Firnhaber; Fuchs; Fuller; Gierchens; Mlle Gobillard; Gondrescon; Greilsamer, Guesnitier, Guillot; Harder; Mlle Henneirda; Lejeune; Lessord; Potier (Adolphe); Quillet; Mme Rey; J. Ricci; Roig y Soler; Henri Rousseau; Mme St-Héran; Schadet; Serendat de Belzim, Johannès Son; Travers; Valton.

à nous
° Bibliothèque

Montorgueil
à 1905

Au Sourire

Pierre... Oes
Mecun - Art.

Petit Caporal 17 mars 1897

Je ne puis me défendre d'une douce gaieté devant l'imperturbable innocence artistique de M. Rousseau. Il y a là de lui un tableau intitulé la *Bohémienne endormie*, qui est un pur chef-d'œuvre. Comme explication à l'œuvre, on peut lire au rez-de-chaussée de la scène, cette phrase lapidaire : « Le félin, quoique féroce, hésite à s'élancer sur sa proie qui, harassée de fatigue, s'était profondément endormie. »

Ce félin que l'auteur voudrait rendre féroce est pâris d'une matière qui échappe à l'analyse. Est-il en carton, en verre, en béton, je ne saurais le décider, mais sa crinière frisée au petit fer, est miraculeuse. Quant à la négresse, objet des convoitises de l'animal, gaînée dans un accordéon, elle est simplement exquise. Tout l'envoi de M. Rousseau se recommande par les mêmes qualités d'imagination et de rendu.

**

L'Exposition des artistes indépendants.

Le vernissage de la treizième exposition des artistes indépendants a eu lieu hier, à midi, au Palais des Arts-Libéraux.

On sait que de cette jeune Société sont sortis des peintres et des sculpteurs originaux parmi lesquels de Toulouse-Lautrec, Augustin, Maurice Denis, Bonnard, Rupert Carabin, etc. Parmi les artistes qui ont exposé, nous nous bornerons à citer aujourd'hui :

Georges d'Espagnat, avec une décoration d'allure magistrale, puis Paul Signac, Maximilien Luce, Léon Sonnier, de Toulouse-Lautrec, Mme Berria-Blanc, Henri Cron, Gustave Loricau, Camille Monier, Trouillebert, miss Clark et toujours l'inénarrable M. Rousseau.

**

Henri Rousseau

On parlera beaucoup d'un panneau de M. Henri Rousseau dont l'apparence est, de prime abord, préhistorique. M. Rousseau s'est mis jadis à la douane avant de songer que son pinceau lui vaudrait, dans la suite des temps, les gros succès de gaîté qu'il recueille chaque année, aux Indépendants. Le Salon d'automne a reçu de lui pour compenser sans doute des dénigrations que nul, dans le public profane, ne s'explique clairement, une scène de carnage.

Un lion terrasse une biche, sous l'œil jaloux d'un jaguar, en présence également d'une chouette et d'un faisan juchés sur les arbres les soigneusement peignés. M. Rousseau ne retrouvera certainement pas ici le succès que les foules du vernissage lui ont toujours ménagé, car il s'est assagi, japonisé; il est devenu décorateur. Son œuvre, par la neutralité de ses verts, n'est pas d'aspect désagréable et se mire sans efforts avec les plantes dont on l'a environnée.

Si les paysages ont une tendance décorative très marquée, la peinture décorative proprement dite est peu abondante.

L'excellent dessinateur Willette est sorti de sa philosophie gouailleuse et souvent poignante pour nous présenter, dans une nature exaltée où ses pieds foulent des champignons multicolores et des pâquerettes, une nymphe très blonde. Eve, sautant à la corde avec un long serpent symbolique. Des arabesques et un amour de style botticellien pourvus d'instruments de musique rythment ce Pas du serpent. En face de cet orchestre céleste, un lion contemple l'étrange spectacle côte à côte avec un homme assoupi. S'il se rencontre dans cette décoration des morceaux de premier ordre, on peut regretter que la tenue générale manque de fermeté et ne réponde qu'imparfaitement au but proposé.

Il y a plaisir à considérer les tréd progrès de M. d'Espagnat dont les femmes, les enfants, le chien groupés sur une terrasse d'architecture imposante, constituent l'une des toiles les plus importantes de ce salon. Les gestes de nature y sont certes trop francs pour l'intensité du paysage. Malgré cette dissonance, la tonalité de celui-ci est riche et savoureuse; elle décèle une compréhension chaque jour plus heureuse de la transposition décorative. M. Süe, dont les natures mortes ne sont pas à dédaigner, se rapproche dans une grande composition des conceptions de M. d'Espagnat, dont il ne s'est assimilé toutefois ni l'harmonie, ni la science des fonds.

Puisque nous sommes dans cette, rotonde, que le symbolisme creux et prétentieux de M. Marcel Lenoir n'orne guère, je dois dire un mot — nous avons assez travaillé, nous pouvons rire — de notre illustre ami Henri Rousseau, ex-douanier. Je me demande s'il est toujours aussi candide. J'ai de la méfiance. Il tourne au « vieux malin ». Certes, son Portrait d'un homme de lettres qui tient à garder l'incognito déridera M. Bérenger lui-même et à sa place indignée dans la collection Couteline. Mais sa Liberté invitant les artistes à prendre part à la vingt-deuxième exposition des Artistes indépendants (sic) est d'une inspiration moins ingénue. Il y a surtout une savante inscription qui ne met en garde. Notre bienheureux ex-douanier ne serait-il point touché, par le démon de l'orgueil? Quoi qu'il en soit, le lion et la femme nue (il y a toujours un lion et une femme nue) de Rousseau) sont très suivis

Ce Salon

Ce Salon a déçu : pourquoi ? il n'apporte rien, aucun mouvement nouveau, aucun essor, aucune poussée vers une interprétation de la vie sociale, aucune harmonie avec la fermentation des idées nouvelles, quelques rares symptômes d'un ascétisme visuel — retour aux saines traditions de la cependant quelques scènes évocatrices des antagonismes, des inquiétudes et malaises sociaux. On s'aperçoit que les artistes ou s'... l'écart de la vie sociale, ou s'... volent que le côté décoratif, ou s'... tumer l'art aux modes dou... actuelle.

Ils ont bien d'autres sou... qui les guette, les stimule, les... des jurys, trop heureux — d'... leur envois — s'ils peuvent exp...

Indépendants, où la majorité vient d'avec le sourire aux lèvres... ser un brin. Il est vrai que les f... quent pas à la fête et que les ... s'esbaudir devant les imagi... les, les parties... ve...

Diplômé de
l'Institut d'études
politiques de Paris,
Gilles Plazy,
journaliste et écrivain,
a publié plusieurs
ouvrages sur la
peinture, parmi
lesquels : *Les
Aventures de la
peinture moderne* et
*Cézanne ou la peinture
absolue* (Liana Levi) ;
Cézanne (Le Chêne) ;
*Voyage en
Gracquoland*
(L'Instant) ; *Un
dimanche avec le
Douanier Rousseau*
(Skira).

*Dépôt légal : novembre 1992
Numéro d'édition : 55787
ISBN : 2-07-053197-X
Imprimerie Kapp Lahure
Jombart, à Evreux*

LE DOUANIER ROUSSEAU
UN NAÏF DANS LA JUNGLE

Gilles Plazy

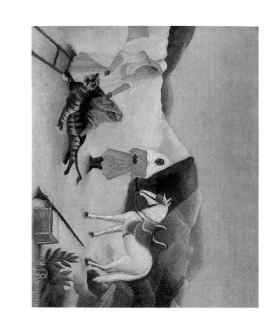

DÉCOUVERTES GALLIMARD
PEINTURE

En 1885, Henri Rousseau a quarante et un ans. Il est employé de l'Octroi, une administration ayant pour fonction de percevoir des taxes sur les marchandises qui entrent ou qui sortent de Paris. Au bas de l'échelle, il se tient en faction à l'une ou l'autre des portes de la capitale, ou bien dans l'un des ports sur les quais de la Seine. Il montre ses premiers tableaux à l'Exposition libre des beaux-arts, organisée au pavillon de Flore du Louvre par la Société des artistes indépendants.

CHAPITRE PREMIER

UNE VOCATION TARDIVE

Rousseau a d'abord été un peintre de paysages. Lui, «le douanier», a peint tout simplement les endroits où il montait la garde (page de gauche, *L'Octroi*).

Rousseau rêve. Il ne doute de rien, surtout pas de lui-même. Depuis treize ans il exerce un métier sans intérêt. Mais il est peintre. Et sûr, déjà, d'être un grand peintre. La vocation, dit-il, il l'a eue jeune. On ne possède pourtant aucune oeuvre de lui antérieure à 1877, et son premier tableau connu, *Paysage d'hiver avec scène de guerre*, ne témoigne pas d'une très grande expérience.

Il est probable que la peinture fut d'abord pour lui, longtemps, une rêverie et que ce n'est qu'à Paris, où il s'établit un peu avant la guerre de 1870, qu'il commença de peindre. Sans doute vers 1875, après avoir fondé une famille et s'être installé dans son emploi à l'Octroi.

«Une autre carrière que celle où ses goûts artistiques l'appelaient»

Si son père, le ferblantier de Laval, avait été plus riche, s'il ne s'était pas follement endetté pour acheter l'imposante maison de la porte Beucheresse et s'il avait pu admettre l'idée d'avoir un fils artiste, Henri Rousseau n'aurait pas eu à gagner sa vie comme petit commis chez un avoué, il ne se serait pas rendu coupable d'un larcin ridicule et ne se serait pas engagé dans l'armée.

Le peintre n'a guère raconté sa jeunesse et personne, de son vivant, n'a recueilli ses souvenirs. C'est grâce aux recherches d'Henri Certigny, son biographe, que nous savons à peu près ce que furent les quarante années qui précédèrent son entrée en peinture. Ci-dessus, Henri et sa grand-tante Nono; ci-dessous, la porte Beucheresse à Laval, où il passa sa jeunesse.

Son père ne manquait pas d'ambition et voulait s'imposer à Laval mais, comme il n'était ni noble ni grand bourgeois, il ne pouvait le faire que par l'argent. Donc il spécula et le fit si imprudemment qu'il perdit tout ce qu'il avait. La mère de Rousseau, elle, était fille d'un officier de la Grande Armée. Cela lui donnait une certaine prétention, mais pas une fortune.

Henri n'était pas assez bon élève pour être boursier et prendre rang dans la société par la force de ses succès scolaires. Ses parents, tout de même, le maintinrent le plus longtemps possible au lycée, où il fut un redoublant attardé et ou on ne lui reconnut quelques talents qu'en écriture, en dessin et en musique. Jusqu'au jour où l'impasse fut si évidente qu'il lui fallut aller gagner sa vie. Il avait eu la chance d'échapper au service militaire, ce qui dépendait alors d'un tirage au sort et, comme il savait lire et écrire, c'est aux écritures d'un avoué qu'il put se faire employer.

Il écrivit bien plus tard qu'il avait été «obligé de suivre tout d'abord une autre carrière que celle où ses goûts artistiques l'appelaient», mais rien n'indique qu'il exprima alors le désir d'être peintre. Ni même qu'il occupait ses loisirs à peindre. Il est vrai qu'on ne sait que peu de chose sur son enfance et son adolescence et qu'il ne nous a pas laissé de ces essais de jeunesse

Malgré ses déboires financiers, Julien Rousseau (ci-dessous avec Henri) fait en sorte que son fils fréquente une bonne école, puis le lycée.

Le jeune Rousseau n'a rien d'un petit génie, et rien ne permet de prévoir qu'il sera un grand artiste.

dans lesquels la critique se plaît à trouver les traces du génie.

Il avait dix-neuf ans, travaillait chez un avoué et fréquentait deux galopins plus jeunes que lui mais comme lui scribouillards; ils furent tous trois coupables de quelques indélicatesses aux dépens de leurs employeurs. C'est ce qui mena Rousseau à la caserne du 51e régiment d'infanterie de ligne, à Angers, où il s'engagea pour sept ans. Ainsi put-il

« Taille : 1 m 65.
Visage : ovale.
Front : rond. Yeux : noirs. Nez : moyen.
Bouche : moyenne.
Menton : rond.
Cheveux et sourcils : châtain foncé. Marques particulières : oreille gauche coupée. » C'est ainsi que Rousseau est décrit sur le registre

militaire, au moment de son incorporation à Angers, en décembre 1863. Il a dix-neuf ans, et, comme tout fantassin, doit porter un pantalon garance, une veste bleue et des guêtres blanches.

51e Régiment de Pie

Certificat de Bonne Conduite.

Nous, soussignés, Membres composant le Conseil d'administration du 51e Régiment d'infanterie de ligne,

Certifions que le Sr Rousseau

Henri Julien Félix, Soldat de 2e Classe,

montrer à la justice que, repentant, il était désormais un jeune homme sérieux. Le calcul n'était pas mauvais et le tribunal, qui aurait pu l'envoyer au bagne, se montra indulgent pour cet accusé qui se

« *C'est qu'en effet Rousseau avait été à l'Amérique ayant servi pendant la guerre du Mexique.* »

Le peintre n'a jamais réfuté cette légende propagée par son ami Guillaume Apollinaire. Du Mexique, il n'a connu que les récits faits par d'autres soldats d'Angers qui, eux, y sont bien allés. Lui, il est resté dans des casernes de France. Dans celle-ci, par exemple, qui depuis a été détruite. Et il n'a pas gagné le moindre galon.

présentait devant lui en uniforme. Il s'en tira avec un mois de prison. Mais avec, devant lui, des années d'armée. Encore une chance : des sept qu'il devait, il ne fit que quatre et il ne connut pas la guerre. Peu brillant, il ne dépassa jamais le grade de deuxième classe.

En 1868, il s'installe à Paris et rencontre Clémence

C'est par l'armée que Rousseau est arrivé à Paris. Son régiment était caserné à Saint-Maur quand, en 1868, à la suite du décès de son père, il a pu bénéficier d'un congé illimité comme «soutien de veuve». Il a pris une chambre rue Rousselet, dans une maison où vécut l'écrivain Barbey d'Aurevilly, à deux pas du premier des grands magasins, le Bon Marché. Et il est tombé amoureux de Clémence, la fille de sa logeuse. Il l'a épousée l'année suivante.

Clémence Boitard vient elle aussi de perdre son père quand elle fait la connaissance de Rousseau. Ils se marieront moins de deux ans après.

Il travaillait alors chez un huissier et il fut libéré de ses obligations militaires, à la veille de la guerre, l'Empereur ayant décrété que les engagés qui avaient déjà effectué cinq ans dans l'armée pouvaient, s'ils le voulaient, passer dans la réserve. Rousseau fut remobilisé peu de temps après, quand les nécessités de la Défense nationale rendirent indispensable le rappel des réservistes, mais très vite libéré, toujours comme «soutien de veuve». Il venait d'être père de famille et rien ne nous permet de croire qu'il fut un héros de la défense de Dreux, ainsi qu'il se plut à le raconter.

Toujours est-il que, dès lors, Henri Rousseau est parisien. Et il le sera toute sa vie. Il a une femme qu'il adore et qui lui a déjà donné un fils. Maintenant, ils habitent rue de Sèvres, travailler chez un

huissier ne le réjouit pas, lui qui est un homme bon et qui, toute sa vie, sera attentif aux pauvres gens. Il a d'ailleurs toutes les raisons de se sentir des leurs puisque, sans aucun diplôme et sans autre expérience professionnelle que celle du maniement des armes, il gagne très mal sa vie.

Heureusement, Clémence fait de la couture et contribue ainsi aux frais du ménage. C'est grâce à elle qu'il est recommandé pour solliciter son entrée dans l'administration de l'Octroi. Il fut accepté, préta serment, reçut un uniforme et un sabre. Ainsi devenu fonctionnaire, au moins serait-il sûr de ne pas risquer de manquer d'emploi.

Rousseau a peint *La Bataille de Champigny* (en haut) d'après une gravure publiée sous forme de dépliant dans *Le Monde illustré* du 4 novembre 1882 (à gauche), reproduisant elle-même un tableau d'Alphonse de Neuville et d'Edouard Detaille. Yann Le Pichon a ainsi mis en évidence de nombreuses sources de tableaux du Douanier.

Le modèle est d'un réalisme assez sobre. Rousseau l'interprète et lui donne une autre dimension, celle d'un monde dévasté, incendié, où l'homme tient une place infime. Et il exclut toute imagerie héroïque. On peut voir dans ce tableau la première expression d'une dénonciation de la guerre à laquelle il donnera, plus tard, une tout autre force.

Nous ne savons pas grand-chose de Clémence, sinon qu'elle était «poitrinaire», comme on disait à l'époque, c'est-à-dire tuberculeuse. Rousseau nous en a laissé plusieurs portraits, dont on peut retenir moins des traits – l'exactitude n'est pas sa plus grande qualité – qu'une impression d'immense tendresse.

Difficile d'oublier la campagne quand on est un Parisien tout neuf

Henri et Clémence ne sont pas des parents heureux. Leurs deux premiers enfants meurent, l'un âgé de quelques mois, l'autre de quelques jours et, des sept enfants qu'ils auront, deux seulement survivront. Julia-Clémence naît en 1874. Elle est, en raison de la mauvaise santé de sa mère, mise en nourrice à Malakoff, qui n'est encore qu'un petit village aux portes de Paris. Quasiment la campagne.

Henri aime la campagne. Il a toujours aimé la campagne, les jardins, les forêts. Il aime la banlieue parce que, pour un Parisien qui a peu l'occasion de

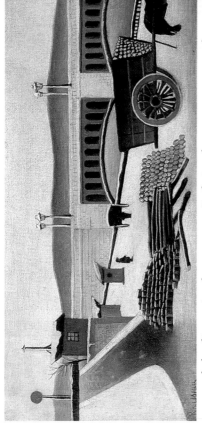

voyager, la banlieue, c'est la campagne. Et il aime les jardins. Le Luxembourg, le Jardin des Plantes où il va se promener avec Clémence, le dimanche. Il n'ira pas vivre à la campagne, y faire de longs séjours, comme le font à cette époque les impressionnistes. Ne serait-ce que parce qu'il a un métier. Il devient un vrai Parisien qui sort rarement de la ville et ne va pas plus loin que la gare d'où un train peut, le soir même, le ramener à Paris.

Il commence à peindre, en amateur, dans le coin d'une pièce. Il peint des paysages, des vues de ce Paris qu'il observe durant ses gardes d'employé de l'Octroi : les fortifications qui enserrent la ville et les quais de

Rousseau passe de longues heures en sentinelle sur les quais de la Seine, pour contrôler les marchandises des bateaux. Sans doute fait-il sur place des croquis qu'il reprend ensuite chez lui, les jours de repos. Il est même autorisé, semble-t-il, à peindre sur les lieux de son travail : ses supérieurs, conciliants avec un employé qui passe pour un original, le laissent volontiers dresser son chevalet.

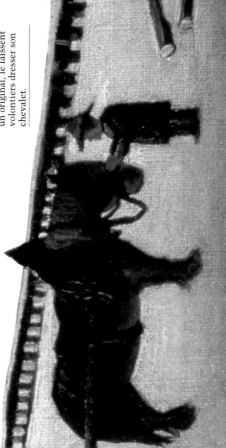

Le Pont de Grenelle sous la neige montre l'un des ports de Paris où des bateaux chargent et déchargent des marchandises. Le format curieusement allongé de ce tableau indique qu'il fut sans doute conçu comme un projet de fresque.

L'œuvre est remarquable par l'alliance de la naïveté du dessin, de la fermeté de la composition et de la couleur en camaïeu. À gauche, derrière les deux tas de pierres et de bois, une sentinelle se tient devant sa guérite, ainsi Rousseau fut-il lui-même en faction, entre 1871 et 1893. Ce petit fonctionnaire est un peintre amateur qui porte témoignage sur son activité professionnelle. Peut-être aussi sur ses idées : peignant le pont de Grenelle, il en profite pour, d'un drapeau et d'une statue de la Liberté, exprimer ses opinions ardemment républicaines.

la Seine. Dans ces paysages, il peint des personnages qui, comme lui, sont là, en attente de ce qui peut venir. Il aime cette ville qu'il voit devenir moderne et qui, en 1878, célèbre le Progrès en une Exposition universelle qu'il ne manque pas de visiter. Rousseau aime le Progrès, comme il aime la République et la Liberté. Justement, la tête de la statue de la Liberté est exposée au Champ-de-Mars. Ou bien il peint des vues de jardins, de parcs, des paysages de campagne, paisibles aussi, animés de rares personnages figés dans une étrange immobilité qui tient sans doute à une certaine inhabileté de dessinateur – et c'est cela qui donne à sa peinture cette étrangeté, cette impression de rêve. Non, Rousseau ne fait pas la fête à la Grenouillère, sur les bords de la Seine, là où dansent les noceurs du dimanche, là où peignent les impressionnistes.

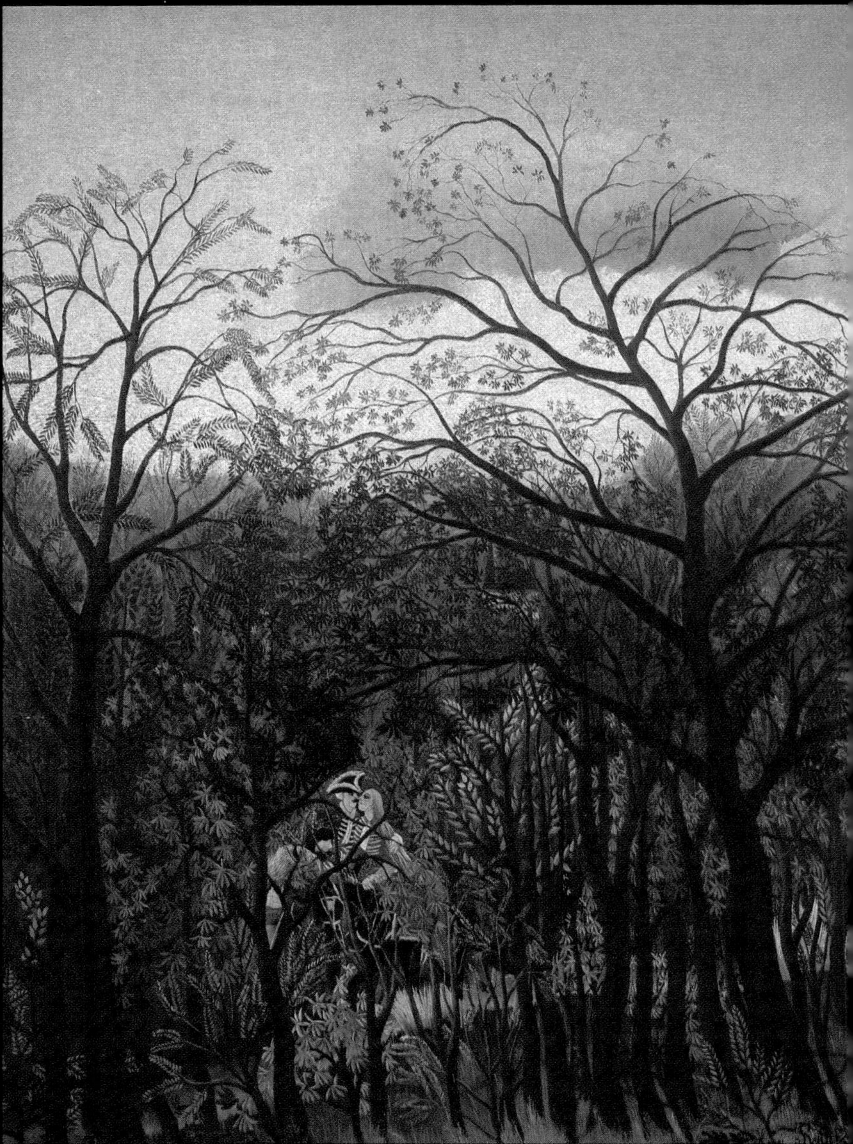

Les jours de congé, Rousseau se promène avec Clémence dans les jardins de Paris et les forêts de banlieue. Provincial qui s'est fait parisien, il est un des premiers grands peintres du paysage urbain, mais il reste hanté par la campagne, la nature. *Rendez-vous dans la forêt* (page de gauche) est l'une des premières œuvres d'un artiste de quarante-deux ans qui ne peint régulièrement que depuis quelques années. Les deux personnages ne sont qu'un prétexte assez maladroitement traité; le vrai sujet du tableau, c'est la forêt touffue, mystérieuse. Il l'a peinte avec une grande application dans les détails, comme le lieu d'un conflit entre l'ombre et la lumière, comme un élan de l'obscurité vers la clarté. *La Promenade dans la forêt* (en haut) et *La Promenade* (en bas) plus lumineux, sont aussi empreints d'inquiétude. La première œuvre, très raffinée, montre plus d'habileté dans le traitement du personnage. Plus qu'une silhouette, c'est une actrice d'une scène dont nous n'avons pas la clef. Notre imagination est provoquée par un Rousseau qui aime lui proposer des énigmes.

CLÉMENCE

VALSE avec Introduction

Pour Violon ou Mandoline

Félix Clément, le peintre pompier, l'encourage à rester lui-même

Rousseau travaille. Rousseau peint, les jours où, ayant monté la garde pendant vingt-quatre heures d'affilée, il est de repos et où il ne va pas, avec Clémence, voir leurs deux enfants. Henri-Anatole est né en 1879 et, comme Julia, il a été placé en nourrice. Rousseau soigne Clémence, si fragile avec sa maladie et après sept maternités. Rousseau, aussi, fait de la musique. Du violon, plus précisément. Il compose même une valse qu'il intitule «Clémence» et qui lui vaut un diplôme de l'Académie littéraire et musicale de France – ce dont il est très fier, bien que cette académie soit quelque peu dérisoire.

De ses premiers essais, il ne reste que peu de témoignages. Sans doute a-t-il peu produit, vu les conditions dans lesquelles il peignait, et il est probable qu'il ne s'est pas considéré tout de suite autrement que comme un amateur, puisqu'il ne pouvait donner que peu de lui-même à la peinture.

Félix Clément, son voisin, un artiste réputé, Grand Prix de Rome, a regardé aimablement ses premiers tableaux et lui a conseillé de toujours conserver sa «naïveté». Clément a été attentif, il ne s'est pas moqué de lui et il est même intervenu, en 1884, pour que Rousseau obtienne une

Rousseau aime Clémence et la musique. Il joue du violon et compose une valse à laquelle il donne le nom de sa femme.

«carte de copiste» lui permettant de peindre au Louvre et au musée du Luxembourg. Le peintre «pompier» – ainsi que les jeunes artistes désignaient alors les plus traditionnels de leurs aînés – l'a

reçu chez lui et lui a fait rencontrer une des gloires de l'art de l'époque, Gérôme, le baron Gérôme lui-même.

Peut-être est-ce ce qui l'a encouragé à sauter le pas. Il a porté deux toiles, *Danse italienne* et *Coucher de soleil*, au Groupe des indépendants. Bien plus, il a loué un atelier impasse du Maine et il s'est abonné à *L'Argus* afin de recevoir toutes les coupures de journaux dans lesquelles son nom serait mentionné. Dès lors, il n'est plus un employé de l'Octroi qui fait de la peinture, mais un peintre qui a, comme on dirait aujourd'hui, un travail alimentaire.

Ses deux toiles, Rousseau les a d'abord présentées au Salon officiel où sont en vedette des peintres pompiers, mondains, infatués, habitués des commandes de l'Etat. Des professionnels qui ont appris à dessiner, à peindre, à l'Ecole des beaux-arts. Pour lui,

Ainsi que le faisaient les jeunes peintres, il s'exerce à copier des œuvres au Louvre et au musée du Luxembourg, où se trouve l'art le plus récent. Mais, ne fréquentant aucune école ni académie, il lui a fallu, pour obtenir l'autorisation, une intervention de Félix Clément (à gauche), un voisin célèbre, peintre des plus académiques.

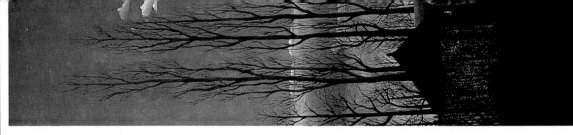

l'amateur, le «douanier», c'est de l'audace, ou de l'inconscience : il ne peint que depuis une dizaine d'années – et peu, puisque, hors de son métier, il n'a guère de temps. Il n'en est pas moins sûr de la force de sa vocation. Et convaincu d'être un grand artiste, l'égal des plus grands.

Le Salon, bien sûr, c'est une chance à tenter. Y être accepté par la commission de sélection, c'est obtenir un label, une première reconnaissance. Ensuite, il n'y aurait plus qu'à franchir les échelons, séduire la critique, peut-être se voir doter d'une médaille, devenir portraitiste patenté et recevoir des commandes de l'Etat ou d'une municipalité. Alors, fini le pied de grue sur les quais de la Seine en attendant les chalands, fini la fouille des sacs de ceux qui entrent ou sortent de Paris.

L'avant-garde est alors divisée en deux groupes d'indépendants

En 1885, il y a, en peinture, indépendants et indépendants. Ceux qui vont prendre place dans l'histoire de la peinture sous le nom de néo-impressionnistes se sont séparés du premier Groupe des indépendants (à l'origine de ce qu'on a appelé le «Salon des refusés»). Ils le trouvent trop peu rigoureux et, ne craignant ni la provocation ni le risque de confusion, ils ont organisé leur propre salon, le Salon des artistes indépendants, qui se tient en même temps que celui du groupe qu'ils ont quitté, et aussi aux Tuileries. Paul Signac, un de ces jeunes contestataires, remarque la *Danse italienne*. Peut-être même rencontre-t-il Rousseau sur les lieux de l'exposition. En tout cas, il l'invite à se joindre, l'année suivante, aux nouveaux indépendants. Rousseau, en 1886, est au rendez-vous et il sera désormais, jusqu'à la fin de sa vie, d'une constante

❝ Un nègre et une négresse, déguisés, sont égarés dans une forêt en zinc, un soir de carnaval, sous une lune qui brille, toute ronde, sans rien éclairer, tandis que se plaque sous le ciel noir la plus bizarre des constellations. **❞**

L e peintre colle cet article du critique du *Soleil* dans un cahier où il ajoutera au fur et à mesure toutes les coupures de presse qui mentionneront son nom [à gauche]. *Un soir de carnaval* est présenté à la première exposition de la Société des artistes indépendants, en 1886, à laquelle Paul Signac a invité Rousseau. De ce tableau, Pissarro, le maître des impressionnistes, toujours attentif aux œuvres originales, remarque «la justesse des valeurs et la richesse des tons».

C omme la plupart des œuvres du Douanier, *Un soir de Carnaval* ne porte pas de date. Il est très difficile de déterminer avec précision le moment où les tableaux ont été peints, surtout lorsqu'ils n'ont pas été présentés à un salon. Ce qui explique les désaccords entre les spécialistes.

fidélité à l'égard de ce salon. Cette année-là il expose quatre tableaux, dont une scène de sa vie d'employé de l'Octroi et l'étrange *Soir de carnaval*.

Pissarro et Signac sont ses premiers défenseurs

Parmi ces héritiers de l'impressionnisme qu'entraînent Seurat et Signac, Rousseau détonne. Et il étonne. Il fait rire les uns et séduit les autres. Camille Pissarro, qui n'expose pas parmi ces jeunes mais qui est venu les encourager, admire des œuvres qu'il juge signées par un excellent coloriste. Rousseau n'est donc plus un inconnu et ses débuts publics en peinture semblent se faire sous de bons auspices. Il peut bien rêver d'un prochain succès qui lui permettrait de se retirer de l'Octroi pour se consacrer à cet art dans lequel il est maintenant totalement engagé.

Quadragénaire, fonctionnaire et père de famille au moment de son apparition sur la scène de l'art, Rousseau n'est certes pas un peintre comme les autres – ni du côté des artistes officiels de l'Académie des beaux-arts et du Salon, ni de celui des impressionnistes. C'est justement ce qui va plaire à des regards aussi avertis que ceux de Camille Pissarro, l'initiateur des impressionnistes, et Paul Signac qui, avec son pointillisme, apparaît comme un des plus vifs représentants de la nouvelle avant-garde et qui, entre impressionnisme et symbolisme, tente de fonder un nouveau classicisme.

Tous deux seront parmi les premiers à encourager ce peintre qui semble tout ignorer des beaux-arts, qui

a appris seul à peindre, qui se tient à l'écart des courants alors concurrents et dont les tableaux témoignent d'une vision tout à fait originale, plus proche de l'art populaire des ex-votos et de la décoration artisanale des boulangeries que de la grande peinture historique ou mythologique alors à la mode, et tout aussi éloignée de la peinture réaliste et spontanée des impressionnistes.

Telle est bien son originalité : une façon claire, déterminée et parfaitement assumée de peindre à sa manière des images qui ne respectent pas les lois de l'optique (l'exactitude du dessin, la perspective, le rendu des proportions). Alors que s'invente la photographie comme art et que, en peinture, anciens et modernes s'accusent réciproquement de ne pas être à sa hauteur, Henri Rousseau peint avec un mépris

Rousseau a dû s'inspirer de cette photographie pour faire, sous le même angle, à la plume, son autoportrait. La différence entre les deux est étonnante et si l'on peut se demander si elle témoigne d'une maladresse fondamentale ou bien d'un penchant pour la caricature. Il est vrai que Rousseau n'est pas un grand dessinateur et que la figure humaine lui pose bien des problèmes.

Peu importe le dessin, pourvu qu'on ait une vision forte et originale et un sens inné de la composition et de la couleur. C'est en ce sens que Rousseau est le premier grand «primitif» des temps modernes. La simplification des formes et l'immobilité du personnage contribuent à l'étrangeté d'un tableau tel que *La Paysanne au pré*.

D e ce *Portrait de femme* peint après la mort de Clémence, on ne sait qui fut le modèle, mais il est certain que c'est l'image d'une certaine splendeur féminine qui s'affirme avec une autorité bien éloignée de la discrétion d'un Seurat (page de gauche, en haut) ou d'un Signac (page de gauche, en bas).

des règles de la représentation qui, depuis la Renaissance, est inadmissible. Aussi, très tôt, le dit-on «primitif» ou «naïf». En 1888, année où Van Gogh expose aussi aux Indépendants, Odilon Redon le remarque et un journaliste évoque Giotto à son propos. Certes, la plus grande part du public et de la critique ricane, mais Henri Rousseau n'a-t-il pas lieu de se réjouir puisqu'il est arrivé, lui, le petit employé, à se faire accepter comme un égal par quelques artistes qui n'ont pas comme lui à mener une double vie, qui sont pour la plupart plus jeunes que lui et qui ne montrent d'estime que pour bien peu de leurs aînés? Mais le 7 mai de la même année, Clémence meurt.

Le malheur ne suffit pas à l'abattre et, l'année suivante, il redouble d'énergie. Après avoir visité l'Exposition qui célèbre le centenaire de la Révolution, il écrit un vaudeville qu'il destine au Châtelet, *Une visite à l'Exposition de 1889*. Désillusion : l'écriture ne lui réussit pas mieux, financièrement, que la peinture et il lui faut continuer de tirer le diable par la queue, en restant à l'Octroi.

À quarante-cinq ans, le Douanier Rousseau a peint son premier chef-d'œuvre, *Moi-même, portrait-paysage*. Ce tableau est un manifeste, le programme d'un art différent qui n'appartient qu'à lui-même.

Il s'est peint triomphant au cœur de cette ville où il n'est encore rien, sur un de ces quais où l'Octroi a sa place.

CHAPITRE II

L'ÉPANOUISSEMENT D'UN GRAND PEINTRE EN MARGE

L a tour Eiffel n'a pas encore un an quand Rousseau la peint dans ce tableau *Moi-même, portrait-paysage*. Et il en fait l'écho vertical d'un pont de fer. Alors que les impressionnistes vont à la campagne, il peint le nouveau visage d'une ville qui découvre l'architecture métallique. A ce décor moderne s'ajoute la vision naïve des signes traditionnels de l'artiste, le béret et la palette.

Henri Rousseau
1891

Rousseau a fait le choix de la peinture et songe au moment où il pourra prendre une retraite anticipée qui lui permettra d'être enfin pleinement peintre. Quelles que soient les difficultés matérielles et affectives de son existence, il ne reviendra plus en arrière. Sa chère Clémence, le grand amour de sa jeunesse et le premier témoin de sa peinture, est morte. Il reste seul avec deux enfants qu'il va, tant bien que mal, élever. Julia a quatorze ans, Henri-Anatole en a neuf. Il doit souvent les laisser seuls en raison du rythme très particulier de son travail à l'Octroi et il parvient d'autant moins à sortir de la pauvreté que la peinture coûte cher. Rousseau est alors un homme triste, marqué par le deuil. Et, dès qu'il le peut, il se réfugie dans la peinture. Joséphine n'effacera jamais Clémence qu'il évoquera toujours avec une grande émotion.

Un tigre dans la forêt vierge pour sa première œuvre exotique

Les chefs-d'œuvre se suivent et ne se ressemblent pas. Les rires ne cessent pas, mais quelques bons soutiens l'encouragent à tenir bon, sans concession. En 1891, toujours aux Indépendants, il expose un drôle de tableau pour lequel il s'est inspiré – ce n'est pas la première fois – d'une gravure : un tigre, dans une forêt vierge à la végétation plus que généreuse et battue par

Sur la palette du peintre, l'épouse disparue et la maîtresse nouvelle sont associées en un même hommage. Le nom de Joséphine a été surajouté : aurait-il remplacé un autre prénom, un amour passager ?

le vent, semble prêt à bondir vers quelque proie (mais celle-ci, on ne la voit pas). Le tableau est présenté sous ce titre laconique : *Surpris!*, mais il est aussi quelquefois indiqué comme *L'Orage dans la forêt vierge*. C'est une œuvre historique, car c'est la première peinture exotique de Rousseau. Après Delacroix, dont une grande exposition a montré l'œuvre à Paris en 1885, et les orientalistes que les

Surpris! est le premier tableau de Rousseau représentant un fauve dans la jungle. Il a copié l'animal sur une gravure, peut-être d'après Delacroix (à gauche), mais il l'a intégré dans une végétation luxuriante.

Rousseau n'a jamais vu de fauves qu'au Jardin des Plantes (ci-dessous). Mais depuis Delacroix, relayé par les peintres orientalistes, les splendeurs et les mystères de l'Orient et de l'Afrique tiennent une place importante dans la peinture. L'exposition de 1889 a aussi montré, dans la multiplicité de ses pavillons, l'immensité du monde.

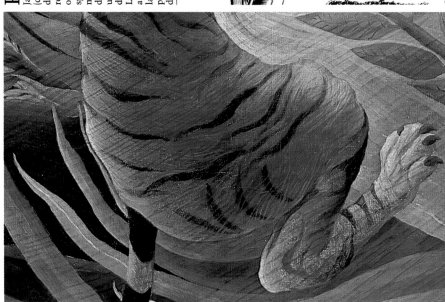

colonies font rêver, Rousseau s'est emparé du thème des fauves pour peindre ce tableau isolé dans son œuvre.

Ce n'est que quelques années plus tard qu'il se fera une spécialité d'un tel exotisme. Sa mère est morte il y a peu et peut-être a-t-il mis quelque chose de son deuil dans cette image d'une terreur agressive. Le critique du *National* n'est pas impressionné, lui qui dresse ce constat hautain : «C'est un simple douanier,

L'œil du fauve, plus étonné que méchant, est un point central autour duquel tourne toute la composition. L'animal semble posé sur les feuilles.

ou employé d'octroi, en qui les préoccupations fiscales de la gabelle ne peuvent éteindre les intérêts artistiques. M. Rousseau remporte le plus franc succès de cette exposition; où sont ses toiles, il y a foule, une foule qui se pâme devant ses portraits et ses paysages.» Au moins a-t-il conquis une certaine notoriété...

«Son tigre surprenant une proie est à voir; c'est l'alpha et l'oméga de la peinture»

Félix Vallotton, un jeune peintre suisse qui expose lui aussi aux Indépendants cette année-là, et qui par ailleurs est écrivain, donne au *Journal suisse* un article sur l'exposition dans lequel il fait preuve d'une meilleure intuition : il est le premier à comprendre l'importance que Rousseau est en train de prendre dans la peinture du siècle finissant. «Il écrase tout. Son tigre surprenant une proie est à voir; c'est l'alpha et l'oméga de la peinture, et si déconcertant que les convictions les plus enracinées s'arrêtent et hésitent devant tant de suffisance et tant d'enfantine naïveté, écrit-il dans *Le Journal suisse* daté du 28 mars 1891.

L'essor de l'instruction publique et des moyens d'impression entraîne la multiplication d'ouvrages didactiques illustrés. Rousseau en fait moisson.

Tout le monde ne rit pas, du reste, et certains qui en auraient envie s'arrêtent bientôt; il est toujours beau de voir une croyance, quelle qu'elle soit, si impitoyablement exprimée.»

Paysage au manoir.

Henri Rousseau, qui rêvait d'être un grand peintre classique, qui se souciait de réalisme et d'exactitude, cultivant paysages et portraits, a pris pour sujet un cliché de la peinture exotique, lui qui ne connaît les fauves que par ceux qu'il a vus en cage au Jardin des Plantes ou peints par d'autres peintres. Pourtant,

comme il l'a toujours fait et ne cessera de le faire, il a transformé son sujet de toute la force de son imagination, de tout ce qu'il a en lui de passion, d'inquiétude et de volonté, donnant à son tigre une présence qui rend peu

L e paysage demeure la part la plus importante de l'œuvre de Rousseau, la moins connue aussi (ci-dessus, *Paysage au manoir*).

MEDAILLES D'ARGENT

HENRI ROUSSEAU, pour ses tableaux

U ne médaille pour Henri Rousseau. Il en est tout heureux mais, hélas, c'est un autre peintre du même nom qui est le lauréat...

au Concours De La Ville De Paris

91-92

importante la maladresse du dessin : les grands animaliers qui paraissent des maîtres en zoologie ont, à côté de lui, l'air de peindre des bêtes empaillées. Rousseau s'impose comme un maître de l'étrange.

Rousseau, l'autodidacte marginal, rêve d'être un peintre officiel

Se déclarer peintre en étant sûr de son talent, sinon même de son génie, c'est un engagement qui change le cours d'une vie. Le soutien amical de quelques confrères rompt la solitude et l'encourage. Mais un peu plus de reconnaissance donnerait au peintre une meilleure confiance et plus de chance d'épanouir son art. L'autodidacte Rousseau, qui s'est glissé dans le circuit de la peinture et s'y est fait connaître – fût-ce dans la dérision – en prenant ses habitudes aux Indépendants, ne fait pas partie du monde des peintres. Il y est accepté comme un amateur, toléré avec condescendance, considéré comme un amuseur inconscient. Il a d'autant plus besoin de considération et soif de reconnaissance (n'est-ce pas au grand Salon qu'il voudrait exposer).

Lorsqu'il reçoit, par *L'Argus*, l'information selon laquelle vient de lui être attribuée une médaille d'argent de la Ville de Paris «pour ses tableaux», Rousseau s'empresse de parer ses cartes de visite de la mention «médaillé».

Malheureusement, il y a un autre Henri Rousseau, qui est peintre aussi et qui est le vrai lauréat.

Le nôtre sera-t-il dupe très longtemps ? Il semble bien qu'après avoir compris son erreur, il se vante encore d'un honneur qui ne lui appartient pas.

Rousseau a besoin de reconnaissance et d'argent. Il tente sa chance à un concours ouvert par la Ville de Paris, peut-être pour la décoration de quelque salle.

Le peintre est un ardent républicain. La République est encore jeune et on vient de lui ériger une statue à Paris, sur une place à laquelle on a donné son nom. Une abondante imagerie célèbre alors le régime de la liberté, de l'égalité et de la fraternité, sous les traits d'une matrone imposante. Rousseau la célèbre à sa façon dans un tableau sobrement intitulé *La République française*. Il la place en pleine nature, l'associe à une végétation généreuse pour en exprimer la bonté et la générosité. A la main, elle tient le rameau d'olivier de la paix et le fauve est paisible à ses pieds.

Henri Rousseau 1890

Le projet ne manque pas d'ambition puisqu'il célèbre le centenaire de la République (nous sommes en 1892), sous un titre d'ailleurs fallacieux : *Un centenaire de l'indépendance*. C'est la première fois, mais pas la dernière, que nous le voyons se mesurer à un grand thème historico-politique.

«Auprès de ma blonde...» Le peuple danse dans sa première œuvre historique

Rousseau présente-t-il cette esquisse au concours ou bien montre-t-il une œuvre plus achevée ? En effet,

Pour *Un centenaire de l'indépendance* (page précédente et ci-contre en couleurs), Rousseau s'est très précisément inspiré d'une gravure de Fortuné Méaulle publiée dans le supplément illustré du *Petit Journal*, le 11 avril 1891, et intitulée *Les Fêtes à Andorre* (la Farandole, ci-contre, en noir et blanc). Il lui a emprunté le motif de la ronde, les principaux personnages et le mouvement des danseurs. Mais, au centre de la danse et du tableau, il a placé un arbre de la Liberté bien épanoui. Et il a mis de la joie dans l'abondance des drapeaux.

il expose aux Indépendants de la même année un tableau accompagné d'un titre d'une longueur inattendue : *Le peuple danse autour des deux républiques, celle de 1792 et celle de 1892, se donnant la main sur l'air de «Auprès de ma blonde, qu'il fait bon, fait bon, etc.»*

Les rieurs ont beau jeu de se sentir, plus que jamais, provoqués par un artiste qu'ils ont pris l'habitude de rechercher chaque année sur les cimaises des Indépendants et qui, cette année, a été, avec quelques autres, brimé par la commission d'accrochage : pour la première fois, elle «a confiné dans un coin la plus grande partie de ces ouvrages saugrenus», ainsi que le remarque le critique du *Rappel*. Quelques mois plus tard, il participera néanmoins à un autre concours de la Ville de Paris, avec sans doute *La Liberté*.

Un heureux rival, M. Rousseau, nous revient plus joyeux tous les ans. « Je renonce à décrire sa liberté et me borne à copier le catalogue :

« 1144, LA LIBERTÉ ! Oh ! Liberté, sois toujours le guide de tous ceux qui, par leur travail, veulent concourir à la gloire et à la grandeur de la France ! »

De *La liberté*, nous n'avons plus pour trace que les coupures de presse collées sur le cahier de Rousseau (ci-dessus). Le tableau a disparu, ce qui est le cas du tiers de la production du peintre.

« Monsieur Rousseau, je n'aime pas en général le coloris criard qu'on voit aux indépendants, mais j'aime beaucoup le vôtre parce qu'il est juste. »

Puvis de Chavannes

Le grand maître néo-classique aurait ainsi salué Rousseau quand il expose *Un centenaire de l'indépendance*, en 1892, au Salon des indépendants. C'est d'abord comme coloriste que le peintre est reconnu par ses confrères.

En deux ans, Rousseau vient de franchir un double pas, celui de la peinture exotique et celui de la peinture d'histoire – deux genres alors délaissés par l'avant-garde et dans lesquels il est d'emblée un des plus grands. Il est cette fois-ci vraiment lui-même, encore un peu douanier mais déjà pleinement peintre, après avoir ouvert les voies dans lesquelles il lui reste encore à s'épanouir. D'ailleurs, n'est-il pas amoureux de Joséphine Le Tensorer, avec qui il entretient une liaison adultère et qui sera, un peu plus tard, sa seconde épouse ?

Quant à M. Henri Rousseau, il doit avoir du génie.

[annotations manuscrites]

En décembre 1893, après vingt-trois ans de service dans l'administration de l'Octroi, Rousseau prend sa retraite. Une retraite anticipée qui ne lui donne droit qu'à une maigre pension, mais lui laisse tout son temps, toute son énergie pour la peinture. Il vient de peindre *La Liberté*, et la liberté est devant lui – une liberté qu'il prend au sérieux, à en croire le sous-titre qu'il donne à son tableau quand il l'expose aux Indépendants : «Oh! Liberté sois toujours le guide de tous ceux qui par leur travail veulent concourir à la

❝ A l'Exposition des artistes indépendants, en 1892, *La Guerre*, de M. Rousseau, a été certainement la toile la plus remarquable. ❞
Louis Roy, *Le Mercure de France*

«Le sol est jonché de débris informes ; la terre ne porte plus aucune verdure, pas même le plus petit brin d'herbe. [...] Le feu, comme l'indiquent les lointaines lueurs du ciel à l'horizon, aura achevé l'œuvre commencée par le fer. Dans un moment, tout sera mort, et à jamais. Et la Guerre chevauche toujours, impassible, inexorable, implacable comme une divinité canaque. Elle va, jamais rassasiée de carnage. Rien ne peut l'arrêter dans sa course échevelée. Quelle obsession, quel cauchemar ! Quelle pénible impression d'insurmontable tristesse !»

Louis Roy

Dans cette fin de siècle où le symbolisme ouvre de nouveaux horizons, un mouvement est en train de naître qui bouleversera l'histoire de l'art et fixera une des orientations de l'art moderne : c'est la reconnaissance des arts populaires et primitifs. Les compositions réalistes commandées par les règles de la perspective (l'impressionnisme ne leur est pas infidèle) ne sont plus les seules admises. Rousseau est l'exemple même de ce réveil d'un art autre, mais qui n'en est pas moins traditionnel.

gloire et à la grandeur de la France.» Pour un homme en butte aux ricanements (un critique le traite de "grotesque"), voilà un vœu qui ne manque pas d'une certaine dignité.

Installé dans un nouvel appartement avenue du Maine, Rousseau peint La Guerre. Il s'inspire d'une gravure qui lui donne l'essentiel de son tableau : le cheval galopant au-dessus d'un tas de cadavres. D'une image caricaturale et anecdotique, il tire une composition d'une puissante force symbolique qui

atteint la grandeur des dénonciations de Goya. Il l'expose (avec trois autres toiles) aux Indépendants de 1894 et c'est par elle qu'il entre en contact avec un écrivain de vingt ans, qui n'a encore publié que quelques textes fortement teintés de symbolisme et dont personne ne se doute qu'il va bientôt se faire remarquer avec une des œuvres les plus importantes de la littérature du XXᵉ siècle : *Ubu roi*.

Alfred Jarry, comme Rousseau, est originaire de Laval et fils d'un ancien condisciple du peintre. De *La Guerre*, il admire l'originalité, bien faite pour plaire à un homme qui aime choquer et qui choisit ses amis dans la bohème de l'époque, en opposition totale avec les traditions littéraires et artistiques. Lui qui aime l'art populaire, il trouve en Rousseau un artiste selon son cœur, en marge de la bienséance artistique et qui ne peut que provoquer l'hostilité des défenseurs du bon goût. Il fait faire son portrait avec chouette et caméléon (une œuvre hélas disparue), qu'il découpera plus tard avec des ciseaux afin de pouvoir étonner ses amis en en sortant un morceau d'un tiroir de sa table... C'est Jarry qui lui donne ce surnom de Douanier Rousseau sous lequel, à son époque, on a pris l'habitude de le désigner pour insister sur le fait qu'il n'était qu'un amateur, une curiosité.

Alfred Jarry l'introduit parmi l'avant-garde littéraire

Jarry rend compte du salon dans *L'Art littéraire* et décrit *La Guerre* dans le langage affecté, un peu obscur, qu'affectionnent les symbolistes. Il évoque Memling à propos d'un portrait exposé aussi par Rousseau. Mieux, il entraîne dans l'atelier de l'avenue du Maine son ami Remy de Gourmont, qui est un personnage important de l'avant-garde littéraire avec sa revue *Le Mercure de France* et qui, dans une autre revue intitulée *L'Ymagier*, ne craint pas de faire l'éloge des images d'Epinal en les considérant comme œuvres d'art à part entière. De Gourmont commande à Rousseau une lithographie inspirée de *La Guerre* et la publie en janvier 1895. C'est là une consécration symbolique, le deuxième hommage, après l'article publié en 1891 par Félix Vallotton.

Peu de temps après, dans un article publié par *Le Mercure de France*, Louis Roy, un ami de Jarry, ne craint pas d'affirmer que *La Guerre* a été au dernier salon des Indépendants «la toile la plus remarquable» et glorifie Rousseau de ce dont, d'ordinaire, on l'accuse : «Il a le mérite, rare aujourd'hui, d'être absolument personnel.»

Peintre lui aussi, Louis Roy appartient au cercle qui, proche de Gauguin, milite en faveur d'une peinture nouvelle se détachant autant du poids de l'histoire que

Alfred Jarry (en bas à gauche) est un provocateur. Il aime dans *La Guerre* l'irrespect dont le peintre fait preuve à l'égard des règles classiques. Une gravure d'après le tableau (à gauche) fut publiée dans *l'Ymagier*, une revue dirigée par Rémy de Gourmont (ci-dessous!). Jarry prépare une bombe qui va éclater au théâtre de l'Œuvre, en 1896 : *Ubu roi*. Venu à Paris pour préparer l'école Normale supérieure ou Polytechnique, il leur a vite préféré la bohème. Rousseau et lui furent complices d'une même atteinte à la raison et au bon goût.

du raffinement optique de l'impressionnisme, mais nourrie d'une nouvelle ferveur qui tire sa force d'un amour sensuel du monde et d'une confiance totale dans une imagination productrice de symboles. S'exprimant dans une revue qui, sous la plume de son critique d'art attitré, Camille Mauclair, passe d'habitude à côté de l'avant-garde, il donne au Douanier Rousseau un label de jeunesse et d'avenir et en fait le parrain de ce mouvement qui, à la charnière des deux siècles, rompt plus avec l'histoire de la

Le Navire dans la tempête est le seul tableau marin de Rousseau que nous connaissions. Sans doute s'est-il aussi inspiré d'une image pour représenter un navire qui pourrait être le croiseur d'Entrecasteaux, lancé en 1896.

peinture que ne l'a fait, vingt ans plus tôt, l'impressionnisme : «Il tend vers un art nouveau.»

Un critique du *Gaulois*, quelques mois plus tard, à l'occasion du XIe Salon des Indépendants, n'en continua pas moins la tradition de l'ironie aveugle en affirmant que Rousseau «ne s'est certainement pas servi de ses mains pour peindre». Il est vrai qu'il n'est pas plus tendre pour Signac, accusé, lui, de peindre «avec des pains à cacheter».

Henri Rousseau
peintre.
Né à Laval en l'année 1844, vu le manque de fortune de ses parents, fut obligé de suivre d'abord une autre carrière que celle où ses goûts artistiques l'appelaient.

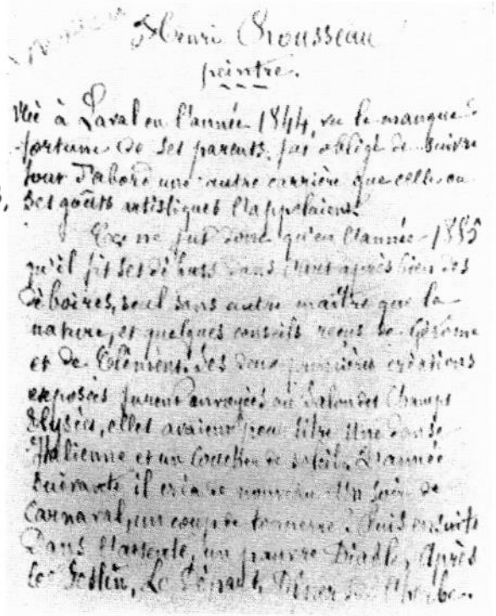

Toujours serein, et plus encouragé par les témoignages de sympathie que déprimé par les signes d'agressivité, Rousseau n'en continuait pas moins de faire superbement front. Rédigeant une note biographique pour le deuxième volume des *Portraits du prochain siècle* (en réponse, sans doute, à une demande de Jarry), il fait preuve d'une ferme assurance à l'égard de son talent et de son avenir : «Il s'est perfectionné de plus en plus dans le genre original qu'il a adopté, et est en passe de devenir l'un de nos meilleurs peintres réalistes.» On remarquera simplement que ce grand peintre de l'imaginaire se faisait une singulière idée du réalisme.

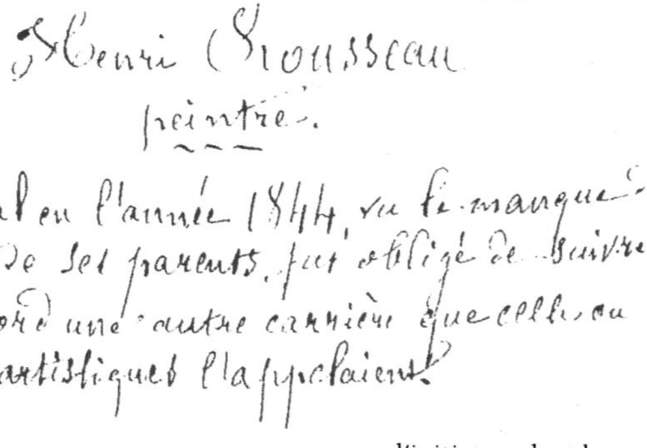

Henri Rousseau
peintre.
Né à Laval en l'année 1844, vu le manque de fortune de ses parents, fut obligé de suivre d'abord une autre carrière que celle où ses goûts artistiques l'appelaient.

« Il fait partie des Indépendants depuis longtemps déjà, pensant que toute liberté de produire doit être laissée à l'initiateur dont la pensée s'élève dans le beau et le bien. »

Ainsi se définit Rousseau, en 1894, dans une note (ci-dessus, la première page) destinée à un ouvrage... qui ne paraîtra jamais.

Dans son entourage comme au Salon des indépendants, on prend encore Rousseau pour un original, peintre amateur malhabile qui a bien tort de s'acharner à concurrencer les maîtres. Misérable et digne, il avance tête haute dans l'histoire de la peinture. Il a de quoi trouver que la reconnaissance se fait bien attendre. Pourtant il ne remise rien de l'originalité qui est sa force, la marque même de sa personnalité.

CHAPITRE III

UN CERTAIN ACHARNEMENT

« La bohémienne dort, les yeux fermés [...]. Pourrais-je dépeindre cette figure immobile qui coule, ce fleuve d'oubli ? [...] La bohémienne n'est pas venue. Elle est là. Elle n'est pas là. Elle n'est en aucun lieu humain. »

Jean Cocteau, 1926 à propos de *La Bohémienne endormie* (à gauche, détail)

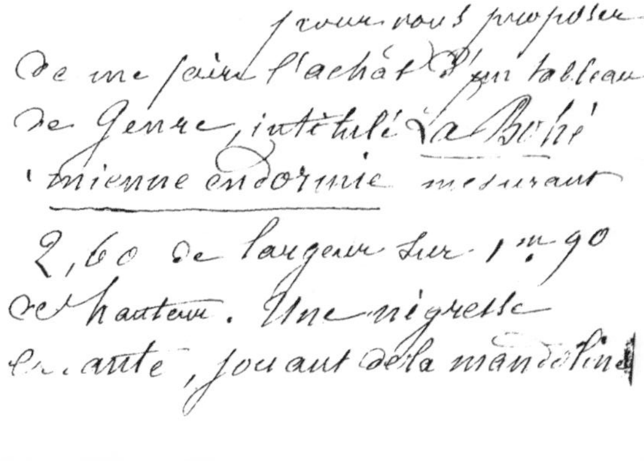
pour vous proposer
de me faire l'achat d'un tableau
de genre, intitulé La Bohé
mienne endormie mesurant
2,60 de largeur sur 1m90
de hauteur. Une négresse
errante, jouant de la mandoline

M arie Biche, vendeuse des quatre-saisons, est une amie fidèle.

Veuve en décembre 1895, Joséphine s'installe rue Pierre-Leroux, dans le 14e arrondissement, et Rousseau vient occuper, au 14 avenue du Maine, un petit logement qu'il partage avec son fils et dans lequel il n'y a sans doute qu'un lit. Julia, sa fille, est partie vivre à Angers, chez une de ses tantes. Henri-Anatole, peut-être, travaille comme graveur, mais il ne doit guère gagner sa vie et la pension allouée au retraité leur permet juste de survivre – la peinture coûte cher, même si un marchand de couleurs patient fait crédit.

Les deux amants se sont géographiquement rapprochés. Le respect du deuil et des conditions de vie difficiles les maintiennent, certes, à distance l'un de l'autre, mais rien n'indique qu'ils aient eu à résister à un élan de passion. Il semble même que le cœur de Rousseau soit plutôt porté vers son amie la plus fidèle, Marie Biche, la vendeuse des quatre-saisons de la rue de Buci qui aura toujours pour lui une assiette de soupe, mais qui ne lui donnera jamais plus que de l'amitié.

Le Salon des indépendants bat de l'aile. De plus en plus de peintres le désertent, les médiocres y sont de plus en plus nombreux et la critique en profite pour se faire plus incisive. Rousseau y montre, sous le titre *Un philosophe*, un homme-sandwich qui fait de la

Fₜ. 0.

A Rousseau, Marie a préféré Frumence Biche, un fringant maréchal des logis. Mais Frumence meurt peu après leur mariage et c'est d'après une photographie, ci-dessus, que le peintre fait ce portrait posthume (ci-dessous). *Le Maréchal des logis Frumence Biche* a été exposé en 1893.

C'est à peu près deux ans plus tard que le peintre est revenu aux uniformes pour brosser *Les Artilleurs* (page de gauche), une amusante composition de soldats moustachus qui semblent être de plomb. Il peint ces figurines avec une certaine distance, n'éprouvant alors, semble-t-il, ni nostalgie ni mauvais souvenir de sa propre expérience de la vie militaire.

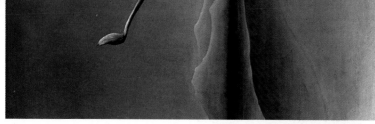

M. Rousseau

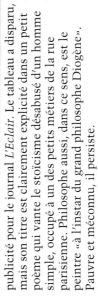

publicité pour le journal *L'Eclair*. Le tableau a disparu, mais son titre est clairement explicité dans un petit poème qui vante le stoïcisme désabusé d'un homme simple, occupé à un des petits métiers de la rue parisienne. Philosophe aussi, dans ce sens, est le peintre «à l'instar du grand philosophe Diogène». Pauvre et méconnu, il persiste.

En 1897, un mois après la mort de son fils, Rousseau peint *La Bohémienne endormie*, un de ses plus beaux tableaux. La critique ricane

Le rêve efface les difficultés de l'existence. Rousseau n'a jamais peint le drame. Au contraire, toute sa peinture paraît être l'expression d'une recherche constante de la paix qui s'épanouit dans l'harmonie des formes et des couleurs. Quelle place Joséphine

À cinquante ans, Rousseau est pleinement confiant en sa propre vision et d'une belle assurance dans sa pratique de la peinture. *L'Enfant aux rochers*, figé, difforme, curieusement planté au milieu d'un paysage agressif, est plus proche des audaces du XXe siècle que des finesses de l'impressionnisme ou du réalisme des peintres pompiers.

tient-elle alors dans sa vie? Parce que l'on sait qu'une liaison ancienne les unit, et que plus tard ils se marieront, on peut supposer qu'ils sont alors proches l'un de l'autre. Est-ce de sentir que rien n'empêche désormais Joséphine d'être à lui qui le rend heureux? Toujours est-il que Rousseau peint le plus célèbre de ses tableaux : *La Bohémienne endormie*. En effet, il l'expose aux Indépendants de 1897 et c'est un des rares tableaux qu'il ait daté.

Cruelle ironie du sort, à peine plus d'un mois avant l'ouverture du salon, Rousseau a perdu son fils, Henri-Anatole, mort à l'âge de dix-huit ans. Or il semble, d'après plusieurs témoignages, qu'il mettait en général deux mois pour élaborer un tableau.

•• Une négresse errante, jouant de la mandoline, ayant son jars [*sic*] à côté d'elle (vase contenant de l'eau pour boire) dort profondément harrassée de fatigue. Un lion passe par hasard, la flaire, et ne la dévore pas. C'est un effet de lune, très poétique. ••

Henri Rousseau,
Lettre au maire
de Laval

R ousseau a pris sa retraite et il a le temps de courir la banlieue en quête de motifs. A Alfortville, il n'a pas recherché le plus pittoresque et il a choisi une fabrique de chaises. Il est peu probable qu'il ait eu à répondre à une commande. Seules des raisons plastiques ont dû le déterminer. Un étrange jeu de lignes droites et courbes, une perspective exagérée,

l'opposition entre la fermeté de l'architecture et le cotonneux des nuages font toute la force de ce tableau.

Avait-il alors terminé l'œuvre ou bien est-ce pour l'achever que, le lendemain même de cette mort, il est allé accroître sa dette chez son fournisseur de peinture? Le charme de *La Bohémienne* ne fut pas immédiatement perçu. Un dénommé Rambosson, critique de *La Plume*, trouva le tableau désopilant, n'hésitant pas à le surnommer «Le Lion s'apprêtant à dévorer une momie».

Rousseau, toujours généreux, n'hésite jamais à venir en aide à plus pauvre que lui

Henri Rousseau est un homme généreux, normalement solidaire des petites gens qui, comme lui, ont la vie difficile. Il peut partager sa pitance avec de plus démunis et les faire profiter de l'amélioration de l'ordinaire que lui

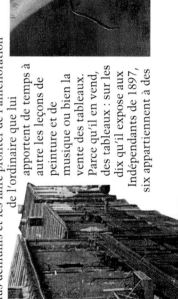

apportent de temps à autre les leçons de peinture et de musique ou bien la vente des tableaux. Parce qu'il en vend, des tableaux : sur les dix qu'il expose aux Indépendants de 1897, six appartiennent à des particuliers. Mais il ne les vend pas cher, et jamais à des collectionneurs. Des voisins, parfois, se laissent tenter par un paysage qui ornera leur boutique ou lui commandent un portrait – tableaux dont bon nombre se perdront. Il lui arrive même, au moins une fois, de vendre à un passant une vue de Maisons-Alfort.

Le jeune Alfred Jarry est chassé de son domicile et poursuivi par les huissiers. Qu'à cela ne tienne, Rousseau l'accueille durant plusieurs mois dans son unique pièce. Le convive, pilier de bistrots, n'est pas très présent, mais, plutôt remuant et déjà passablement alcoolique, a de quoi être encombrant. Jarry se souviendra de ce moment de sa vie quand il écrira *Gestes et opinions du Dr Faustroll* : Rousseau y apparaît peignant sur des toiles de peintres pompiers dérobées au grand Salon.

Dans les bas-fonds de Montparnasse, on fait tourner les tables

Rousseau sait qu'avec *La Bohémienne* il a réussi un chef-d'œuvre. Le tableau, selon lui, mériterait d'entrer dans une collection publique... Il le propose, en vain, quoique pour un prix peu élevé, à la Ville de Paris puis à sa ville natale, dont le maire est un de ses anciens condisciples. Celui-ci transmet la lettre au conservateur du musée, lequel a beau jeu de répondre que la municipalité de Laval ne dispose pas de crédits pour acheter des œuvres d'art et que, dans l'attente de l'achèvement du musée municipal, les salles de la mairie sont déjà bien encombrées.

La chance ne lui sourit pas plus à Vincennes, où un concours a été ouvert pour la décoration de la salle des fêtes de la mairie. Les fresques devront représenter des paysages et Rousseau va sur le motif, à Vincennes même. Ce n'est pas assez pour convaincre un jury présidé par Puvis de Chavannes. L'horizon, donc, ne se dégage pas, et dans l'atelier qu'il occupe maintenant, 3 rue

L e sombre atelier de la cité Chesnoy, à Montparnasse (ci-dessous).

Vercingétorix, dans la cité Chenu surnommée «cour des miracles», il n'y a ni eau ni chauffage. Le luxe, c'est qu'il y dispose de près de quarante mètres carrés et, dans ce bas-fond de Montparnasse où Joséphine ne doit pas être pressée de le rejoindre, il y a toute une compagnie d'artistes et autres marginaux avec lesquels il peut partager un certain goût de l'étrange. On fréquente les rose-croix, qui sont convaincus de

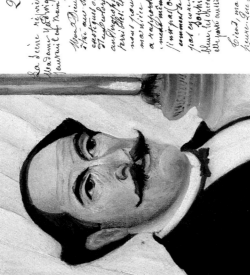

détenir la clef des mystères du monde, et on fait tourner les tables. Rousseau, qui de son propre aveu a toujours entretenu des relations avec des fantômes, a pu trouver là un certain esprit de communauté qui devait lui être agréable.

Puisque la peinture ne marche pas bien, il s'essaie de nouveau à la littérature

Rousseau ne perd jamais espoir. Sûr d'être, un jour, reconnu à sa juste valeur, il croit sans difficulté les plaisantins qui lui annoncent qu'il a reçu la Légion d'honneur et il est très dépité quand il apprend que ce n'est pas vrai. Puisque la peinture ne veut pas encore

Le manuscrit de *La Vengeance d'une orpheline russe* a appartenu au poète Tristan Tzara. La pièce a été publiée par ses soins en 1946.

•• Mon Dieu! quelle chaude journée; je croirais être au Sénégal, ou dans l'un de ces pays exotiques où de forêts immenses aux arbres d'un coloris splendide sont habités par des anthropophages ou des fauves plus ou moins terribles. ••

le nourrir, il se tourne une seconde fois vers le théâtre, où il sait qu'un succès peut rapidement mener à la fortune (et la fortune au mariage).

Moins farce que la *Visite à l'Exposition*, *La Vengeance d'une orpheline russe* est un mélodrame qui parle d'amour, d'honneur, d'argent et de vengeance. L'héroïne bafouée confond son séducteur qui ne peut que succomber en duel face à un galant officier. Comme, entre-temps, elle a hérité d'une fortune inattendue, tout finit bien.

Rousseau n'est pas un truqueur, pas plus en littérature qu'en peinture : comme la rêverie est sa nature, le mélodrame est sa culture et, sans doute, s'il lui arrive d'aller au spectacle, c'est pour voir de telles pièces populaires. Dans celle qu'il écrit, il est évident qu'il met beaucoup de lui-même et de ses préoccupations : il semble clair, à la lire, que c'est Joséphine qui se faisait tirer l'oreille pour se marier.

Le Châtelet ne s'intéresse pas plus à cette œuvre qu'à la précédente. Toutefois, Joséphine fléchit. Dans une lettre qu'il lui adresse le 2 juin 1899, six mois après avoir terminé la rédaction de *La Vengeance*, il

« Il y a deux petits portraits qui représentent Rousseau lui-même et sa femme. Ils ne sont plus jeunes ni l'un ni l'autre, sans ornement ni symbole, les têtes se détachent sur le fond, mais la lampe, discrètement posée près d'eux, évoque une impression de foyer calme et de bonheur beaucoup plus suggestive que ne l'aurait pu faire un intérieur peint dans tous ses détails. **»**

Wilhelm Uhde,
Henri Rousseau, 1911

C'est à l'église Notre-Dame-des-Champs (ci-dessus) que le franc-maçon Henri Rousseau a épousé religieusement Joséphine Le Tensorer.

Le présent et le passé... Dans sa vieillesse solitaire, Rousseau gardera auprès de lui ce tableau réalisé à l'occasion de son second mariage (ci-dessus). C'est dire l'importance qu'il lui a toujours accordée. Ainsi en témoigne le *Portrait du Douanier Rousseau dans son atelier*, peint par Harry Bloomfield en 1907 : le tableau est accroché dans l'atelier du peintre qui, à cette époque, est veuf pour la seconde fois.

apparaît que les deux amants ont des discussions difficiles. Il est probable que Joséphine veut se marier à l'église, tandis qu'Henri, qui est sans doute franc-maçon, n'a pas du tout envie de passer devant le curé. C'est elle qui gagne et, au mois de septembre, les deux époux sont unis en l'église Notre-Dame-des-Champs. Quatre mois plus tard, le nouveau marié ne se rendra pas à Angers au mariage de sa fille Julia. Peut-être ne dispose-t-il pas de l'argent du voyage, ou bien a-t-il peur de ne pas faire bonne figure dans ses habits élimés d'artiste pauvre.

Il n'y a jamais qu'une seule histoire d'amour

En 1900, Rousseau est toujours cité Chenu. Joséphine, elle, tient une petite papeterie, 36 rue Gassendi, où elle tente de vendre des œuvres de son mari. A-t-elle

L'amour triomphe une seconde fois, à l'aube du nouveau siècle. Pour Rousseau, ce n'est pas une anecdote, et pas non plus tout à fait une nouvelle vie qui commence. C'est en peinture qu'il se confie, dans un tableau daté de 1899 : un couple, Henri et Joséphine, se tient cérémonieusement dans un décor d'arbres en fleurs, à la manière des clichés par lesquels les photographes marquent l'événement nuptial. L'étrange, c'est que, dans le ciel, au-dessus de chacun des deux époux, apparaissent deux autres visages qu'on peut identifier comme ceux de Clémence et du premier mari de Joséphine. Le titre du tableau, *Le Présent et le passé*, permet de l'interpréter : il n'y a qu'une histoire d'amour, Clémence n'a pas été oubliée et Joséphine en est comme la réincarnation.

La force du rêve est toujours plus grande que la réalité, la peinture plus généreuse que l'existence. Rousseau tente pour la troisième fois de participer à un concours de décoration municipale. Cette fois, c'est à Asnières qu'il va peindre des paysages en vue d'orner la salle des fêtes de la mairie. Et c'est son troisième échec, notifié la veille de Noël. Quant au Salon des indépendants, qui se tient en ce même mois de décembre, c'est une débandade généralisée, avec seulement cinquante-cinq participants. Cézanne, Signac et Rousseau ont beau être tous les trois membres du comité, la presse s'en désintéresse.

gardé son propre domicile et y ont-ils leur foyer ? L'année suivante, en tout cas, ils seront tous deux domiciliés à l'adresse de la boutique : un second loyer aurait sans doute été trop lourd et Rousseau (il l'avait déjà prouvé) sait peindre dans un espace restreint.

Les pensées sont en bonne place dans ce *Bouquet de fleurs*. Rousseau les utilise, comme ailleurs les myosotis ou le lierre, pour leur symbolisme. Le «langage des fleurs» joue ici, comme dans *Le Présent et le passé*, pour dire le souvenir et la fidélité.

Rousseau n'a pas trouvé sa place dans le siècle dont il était l'enfant.

Homme du peuple, touché par les idées de la franc-maçonnerie, il en a partagé sans réserve le rêve de liberté, de progrès et de fraternité. L'utopie est pour ce rêveur la chose la plus naturelle.

Il pouvait croire que l'humanité allait vers un monde meilleur. Un monde dans lequel chaque individu aurait sa place, sans pour cela composer avec son originalité. Un monde où le paradis perdu sera retrouvé.

CHAPITRE IV
LE TEMPS DES FAUVES

Pour sa première apparition au Salon d'automne, en 1905, Rousseau expose un fauve : *Le Lion ayant faim* (à gauche, détail).

Le XXᵉ siècle commence à Paris avec l'Exposition universelle. C'est une manifestation gigantesque qui marque la fierté et l'ambition de la France au seuil d'un siècle dans lequel elle est bien décidée à jouer le premier rôle. C'est la grande fête de la science et des idées nouvelles, de l'imagination aussi en un temps où l'art dit «nouveau» redevient baroque.

Du Champ-de-Mars aux Champs-Elysées, quatre-vingt-trois mille exposants accueillent cinquante millions de visiteurs venus du

monde entier. L'art est à l'honneur, dans toute son histoire au Petit Palais et dans sa modernité au Grand Palais où les Impressionnistes, vingt-six ans après leur première exposition, connaissent un triomphe. Ces deux palais, ainsi que la gare d'Orsay, ont

Idylle, ou *L'Innocence*... un mot qui résume la peinture de Rousseau, mais c'est le titre d'un tableau de Gérôme (page de gauche). Le vieux peintre pompier avait mal supporté d'assister à la reconnaissance officielle de l'impressionnisme, en 1900, au Grand Palais (ci-dessous). En s'inspirant d'une de ses œuvres pour son *Heureux Quatuor* (au centre), Rousseau choisit clairement son camp.

Heureux Quatuor, c'est l'innocence selon Rousseau : un paradis terrestre. La nature immense, un couple plein de légèreté, la musique qui charme les bêtes sauvages, l'enfant qui

été érigés pour l'occasion. De tout cela, on peut être sûr qu'un esprit aussi curieux que celui d'Henri Rousseau n'a rien perdu. C'est d'ailleurs au Grand Palais, à l'exposition dite «centennale», qu'il voit un tableau de Gérôme, peintre pour lequel il a toujours une vive admiration, *L'Innocence*; il s'en inspirera bientôt pour son *Heureux Quatuor*. Lors de l'inauguration de cette grande rétrospective de la peinture du siècle, Gérôme, encore choqué par les impressionnistes qui y ont bien trouvé toute leur place, veut interdire l'entrée du Grand Palais au président de la République.

Rousseau s'installe rue Gassendi. Rousseau est grand-père. Rousseau ne parvient pas à payer ses dettes.

Rousseau expose sept toiles aux Indépendants de 1901, un salon qui reprend une certaine vigueur avec le retour des Nabis, ces héritiers de Gauguin qui le boudaient depuis plusieurs années, et

porte le lierre de la fidélité et le bon chien de la paix domestique. Rousseau ne copie pas, il emprunte un thème qu'il traite avec une fraîcheur bien étrangère à son modèle.

l'arrivée de bon nombre de nouveaux artistes. *Mauvaise Surprise* est un chef-d'œuvre, dans la lignée de *La Bohémienne* : une femme nue, sous un arbre qui occupe une bonne part du tableau, au bord d'une rivière (une baigneuse?), est surprise par un ours que, heureusement, un chasseur tient en joue. C'est le premier nu peint par Rousseau, semble-t-il, et sa dimension (deux mètres de haut) indique qu'il fut vraisemblablement peint dans l'atelier de la cité Chenu.

«M. Rousseau, dont la longue patience excelle à nous émouvoir»

La femme ne semble guère effrayée par un animal qui est aussi immobile que le lion de *La Bohémienne*. Elle lève les deux mains moins dans un réflexe de peur que dans le geste d'une divinité qui, ainsi, retient les forces du mal. C'est une Eve qui, médusant l'ours, apparaît au chasseur. La surprise n'est peut-être pas si mauvaise que l'affirme un peintre qui ne s'est peut-être pas tout à fait rendu compte de ce qu'il peignait! En tout cas, Rousseau, dont on sait qu'il a beaucoup aimé les femmes et qui venait, pour la deuxième fois, de se marier, a peint là, à cinquante-cinq ans, une image de femme qui tient du mythe plus que de la réalité et dans laquelle s'exprime tout son idéalisme : c'est une femme sans fragilité, rayonnante, apaisante, imposante. Thaddée Natanson,

Il a suffi d'un serpent et d'une pomme pour mettre fin au paradis terrestre. *Eve* (à droite) paraît bien gauche au moment où se joue son destin. La femme de *Mauvaise Surprise* (à gauche), quoique schématique, est plus rayonnante. Les nus de Rousseau sont des silhouettes symboliques, loin de tout réalisme.

Le 21 avril 1901, alors que le 17e Salon des indépendants vient à peine d'ouvrir ses portes, Rousseau écrit au ministre de l'Instruction publique et des Beaux-Arts pour solliciter l'achat de l'un ou l'autre des tableaux qu'il y a exposés (ci-dessous). Requête qui n'aura aucun effet. Il a déjà fait ce genre de démarche, et le refera, mais jamais, de son vivant, un organisme officiel n'achètera une de ses œuvres.

le critique de *La Revue blanche*, parle de «ces artistes ingénus, épris de leur métier, dont l'effort et les trouvailles sont si singulièrement attrayants, comme

Le Petit Journal
SUPPLÉMENT ILLUSTRÉ

GAIETÉS ÉLECTORALES

M. Rousseau, par exemple, dont la longue patience excelle à nous émouvoir». Renoir aimera ce tableau.

La cause du peuple et l'enseignement de la peinture

On possède peu de témoignages d'éventuels engagements politiques de Rousseau. On sait que son cœur est à gauche, généreux, fraternel, humaniste et populiste. Quand, en 1902, se préparent d'importantes élections, il adhère au comité radical-socialiste de sa circonscription et soutient le candidat Messimy. Le radical-socialisme, c'est alors une gauche qui, sans être extrême, n'est pas modérée. À une époque où le nationalisme est en plein essor et prépare peu à peu la guerre, les «rad.-soc.» sont pour la paix et l'union des peuples, seules à même d'assurer le progrès social. Rousseau n'est peut-être pas très actif, il n'en a pas moins clairement choisi son camp.

Ses actes, Rousseau les met en accord avec ses idées. Il participe à l'Association philotechnique, œuvre républicaine et laïque patronnée par le ministre de l'Instruction publique, dont le but est de mettre l'éducation à la portée de tous. Les professeurs sont bénévoles et, le dimanche matin, Rousseau donne à des adultes des cours de peinture sur faïence

Les radicaux-socialistes défendent une République démocratique, laïque et sociale. Aux élections municipales de 1902, Rousseau soutient leurs candidats.

HENRI ROUSSEAU

PROFESSEUR DES COURS PHILOTECHNIQUES DE LA VILLE DE PARIS
2 bis, Rue Perrel (14ème), dans la Rue Vercingétorix
POUR TOUS CES COURS LE PROFESSEUR DÉSIRANT DES PROGRÈS RAPIDES
LE NOMBRE DES ÉLÈVES SERA LIMITÉ

COURS MIXTE pour enfants et jeunes gens, *Le Jeudi de 2 à 5 heures*
POUR ADULTES À PARTIR DE 16 ANS

et sur porcelaine, d'aquarelle et de pastel. C'est un cours nouveau, créé à l'automne 1902.

Il en est, après un stage, le premier enseignant. Les témoignages, hélas, font défaut sur un enseignement dont on imagine qu'il ne manquait pas de piquant. Lui-même est plutôt fier de cette responsabilité, qui est une sorte de reconnaissance publique, si modeste soit-elle, et ses cartes de visite en portent la marque. À un moment où, faute d'argent et de place, il ne peut plus peindre de grandes compositions et se replie sur les paysages, ce n'est pas une mince compensation.

«On a de lui un portrait d'enfant qui est au nombre de ses plus beaux tableaux. L'enfant est debout en plein air, dans le pan de sa chemise qu'il relève d'une main il a des fleurs et dans l'autre main un polichinelle. Il reçoit 300 francs pour ce portrait et je crois que, de toute sa vie, il n'en a jamais eu de si bien payé. Mais les parents de l'enfant se sont ruinés pour cette commande, et ils sont contraints de donner la toile en paiement d'une petite note de blanchissage.»

Wilhem Uhde,
Henri Rousseau, 1911

Veuf pour la deuxième fois, il se console dans la nature et le travail

Le 14 mars 1903, quelques jours avant le vernissage des Indépendants, la maladie emporte Joséphine. Leur union aura duré à peine plus de trois ans. Le peintre expose au moins huit tableaux, dont *Pour fêter bébé!*,

Pour fêter bébé! Alors qu'il peint avec précision le visage et la végétation, Rousseau cache les pieds de l'enfant dans l'herbe car il a du mal à les représenter.

un portrait splendide et peu réaliste qui coûta 300 francs aux parents de l'enfant (mais ils abandonneront plus tard le tableau en paiement d'une note de blanchisserie...)

La critique continue d'être indifférente, sinon agressive. Sa constance à exposer a rendu célèbre le Douanier, on y fait souvent allusion, mais sans le rire des premiers temps. On est, en ce début de siècle, blasé. De l'impressionnisme au symbolisme, les grands combats d'idées se sont succédé, à tel point que l'avant-garde paraît ne pouvoir être que théoricienne. Un «Naïf» qui peint, ne dit mot et n'en pense pas moins, tel Rousseau, ne peut être pris au sérieux. Rousseau expose depuis près de vingt ans et il ne s'est encore imposé qu'auprès de quelques peintres et de quelques écrivains.

La gloire, pourtant, peu à peu fait son chemin, quels qu'en soient les détours. En octobre 1903, pour l'inauguration du premier Salon d'automne, Alfred Jarry donne une conférence au Grand Palais et ne manque pas, fidèlement, de faire l'éloge de son vieil ami, à tel point que l'auditoire se demande s'il ne s'agit pas de Théodore Rousseau, peintre plus célèbre. L'écho de l'éloge lui est certainement parvenu. C'est une bonne consolation pour cet homme en deuil, acharné à peindre sans succès et remboursant difficilement sa dette à l'égard d'un marchand de couleurs auprès duquel, vraisemblablement, il ne peut plus se fournir. Il donne quelques leçons de solfège dans l'ancienne boutique de Joséphine, dont le bail court encore mais dont il lui faut payer le loyer. Son bonheur, il le trouve, comme toujours depuis qu'il a commencé de peindre, dans la nature – celle d'une banlieue parisienne encore campagnarde. Les tableaux en témoignent.

Photographie des Éclaireurs
attaqués surpris par un tigre,
exposé au Salon 1905

Le retour du tigre déclenche une nouvelle hilarité

Pour le 20e Salon des indépendants, en février 1904, quelques jours après avoir reçu son diplôme de professeur titulaire de l'Association philotechnique, Rousseau expose, avec trois autres tableaux, *Éclaireurs attaqués par un tigre*. C'est sa deuxième œuvre à base de forêt vierge et de fauve. Elle ne passe pas inaperçue et son auteur en obtient un regain de notoriété. Le critique du *Soleil* et de *L'Événement* (c'est le même) remarque que l'ambiance devant ses toiles est redevenue ce qu'elle était aux débuts du peintre : «Autour de ses envois, c'est une bousculade, un empressement que connaissent seuls les chefs-d'œuvre. Pour s'approcher de la cimaise, il faut jouer du coude et pour se maintenir en place on a une lutte à soutenir.» Il faut préciser que, si le public se presse, c'est pour rire. Les huissiers, eux, ne rient pas.

Trois ans plus tard, le peintre pose dans son atelier devant les *Éclaireurs*. Lui-même ne fut-il pas l'éclaireur d'un art nouveau sans cesse attaqué par la critique? Et toujours fidèle au béret d'artiste...

Rousseau en voit venir un, qui requiert un paiement immédiat de la dette. La chose lui est bien impossible et il doit se présenter pour la deuxième fois devant un tribunal qui exige que les 200 francs dus soient payés à raison de 10 francs par mois.

Cela lui complique quelque peu la vie et s'il n'était pas aidé par de nouveaux amis, des voisins bretons qui l'ont pris pour parrain de leur fille, il aurait du mal à échapper à la misère totale. Les Papouin le nourrissent plus d'une fois et Charles, le tailleur de pierres, lui donne quelques vêtements qu'une amie commune remet à sa taille. Angèle est habilleuse au théâtre Marigny et Rousseau entretient peut-être avec elle des rapports qui n'ont pas que l'amitié pour fondement. Quand la fille Papouin sera plus grande, il fera son portrait.

Bientôt, Rousseau arbore les palmes académiques. Elles ne lui ont pourtant jamais été décernées. Mais il se trouve qu'il a un homonyme à l'Association philotechnique, un autre Henri Rousseau, professeur lui aussi et qui, lui, les a bien obtenues. Rousseau (le Douanier), dupe ou roublard, porte le ruban violet à la boutonnière. Cela peut impressionner ses voisins, ses éventuels clients ou élèves. Mais ce n'est qu'un maigre signe de respectabilité pour un artiste qui, par le critique de *La Rénovation*

*U*ne noce à la campagne, sans doute un tableau de commande, a été réalisé d'après une photographie. Jeanne (ci-dessous), la petite-fille de Rousseau, a conservé tous les documents qu'il avait accumulés dans son atelier, notamment les brochures, cartes postales ou catalogues dont il s'était inspiré. Henri la voyait rarement, mais une réelle affection les liait tous deux. La jeune

Charlotte Papouin (en haut, à gauche), la fille d'un tailleur de pierres qui est pour lui un ami généreux, profite mieux de l'affection du vieil homme. Il l'emmène parfois se promener et fait son portrait (*La Jeune Fille en rose*, à gauche) en l'installant sur un tas de pierres évoquant le métier de son père.

esthétique, est encore pris en exemple (mais toujours en compagnie de Signac) de l'«anarchie picturale» régnant aux Indépendants.

Il y expose, en cette année 1905, *Une noce à la campagne*. Un tableau qui témoigne de la maîtrise acquise dans cette forme particulière de peinture qui est la sienne et qui est aussi éloignée de l'art de son temps – fût-il pompier ou impressionniste – que l'art primitif l'est de celui de la Renaissance. Pourtant jamais lui-même ne se vante d'un tel écart et quand le plus pompier des pompiers, William Bouguereau, meurt le 19 août 1905, il en ressent «une émotion profonde». La mort de Cézanne, survenue presque au même moment, semble moins l'affecter, mais n'a-t-il pas prétendu qu'il était prêt à «finir» les tableaux du maître d'Aix?

«Le ciel lui a départi une mentalité spéciale, celle des artistes primitifs»

Le Salon d'automne, pour sa troisième édition, a lieu au mois d'octobre. Rousseau affronte le jury de cette nouvelle organisation qui se veut plus jeune, plus moderne et moins laxiste que l'autre. Et il est accepté! Avec une toile magistrale qui annonce l'évolution de son œuvre pour les prochaines années. Le titre à lui seul a de quoi étonner : *Le lion ayant faim se jette sur l'antilope, la dévore. La panthère attend avec anxiété le moment où, elle aussi, pourra en avoir sa part. Des oiseaux carnivores ont déchiqueté chacun un morceau de chair de dessus le pauvre animal versant un pleur! Soleil couchant.* L'impressionnisme est né d'un tableau de Monet intitulé *Impression, soleil levant,* voici un soleil couchant qui éclaire le baptême du fauvisme.

Le Soleil, L'Événement et L'Illustration rendent hommage au tableau et au peintre. Pour l'un, il «tient des maîtres du Japon»; pour l'autre, «le ciel lui a départi une mentalité spéciale, celle des artistes primitifs qui dessinaient sur les rochers des cavernes des profils d'aurochs»; et le troisième journal reproduit le tableau dans une double page qui compte aussi Cézanne, Matisse et Derain. Rousseau se trouve donc en bonne compagnie, comme il l'est dans la salle où son *Lion* est accroché. C'est dans cette pièce, où éclatent des

Le lion ayant faim fut exposé au Salon d'automne au côté de ces peintres que l'on nommera «fauves»: Matisse, Derain, Valtat, Marquet... Avec ses deux mètres sur trois, c'est une des œuvres les plus imposantes du Douanier. Ci-contre, l'inauguration du salon.

couleurs vives bien à l'opposé des délicatesses impressionnistes, qu'un critique peu éclairé, mais qui a le don de la formule, s'exclame que c'est «la cage aux fauves». Rousseau, malgré lui, parraine une nouvelle vague avec laquelle il n'a pas grand-chose en commun. Mais la reconnaissance n'est pas mince.

Encore un déménagement, le dernier.
En 1906, Rousseau s'installe rue
Perrel, toujours dans le quartier de
Plaisance, derrière Montparnasse.
C'est là qu'il va définitivement
s'épanouir. Dans cette chambre-atelier
où il replie le lit pour recevoir ses amis,
il commence par rendre hommage à la
peinture et au Salon des indépendants,
auquel il a toujours été fidèle.

CHAPITRE V
L'AVENIR EST
DANS LE RÊVE

La liberté invitant
les artistes à
prendre part à la 22e
Exposition des artistes
indépendants (à
gauche) fut achetée par
Georges Courteline
pour ce qu'il nommait
son «musée des
horreurs». Robert
Delaunay, qui a brossé
plusieurs portraits du
peintre (à droite), était,
lui, plus clairvoyant.

Toujours en quête de quelques revenus complémentaires, Rousseau donne des leçons d'aquarelle et de mandoline et obtient de temps à autre une commande pour un portrait. Ainsi, il fait celui de l'écrivain Edmond Frank qui, vraisemblablement, ne le paie pas bien cher puisque, ensuite, il détruit le tableau qu'il trouve sans valeur – heureusement, Rousseau en a fait une copie... C'est celle-ci qu'on prendra, à tort, pour un portrait de Pierre Loti. Georges Courteline, qui a plus d'humour que d'amour de l'art, l'achètera pour ce qu'il nomme son « musée des horreurs ».

Au Salon des indépendants de 1906, les rires reprennent de plus belle devant ce portrait, mais encore plus beau devant *La Liberté invitant les artistes à prendre part à la 22e exposition de la Société des artistes indépendants*. Maurice de Vlaminck en témoigne : « Lui, serein, nageait dans la béatitude. Il faisait tellement de son mieux, s'appliquait avec une telle ferveur pour que sa peinture fût égale à lui-même qu'il ne pouvait se douter un seul instant que ces rires lui fussent destinés. »

Jusqu'à la fin, Rousseau reste fidèle à son violon. Il en joue lorsqu'il reçoit ses amis et donne quelquefois des leçons – ce qui lui permet d'améliorer un peu l'ordinaire d'une vie pauvre.

La Liberté invitant les artistes... est un manifeste. Hommage est rendu au

Salon des indépendants grâce auquel Rousseau a pu se faire connaître. Liaison aussi est affirmée entre l'art et la liberté : l'art n'est-il pas, dans l'expérience même du Douanier, l'expression individuelle sans

Les artistes se pressent au Salon. Dans un détail de *La Liberté*, Rousseau a inscrit le nom de quelques-uns de ceux qui ont exposé cette année-là : « Les Valton, Signac, Carrière, Willette, Luce, Seurat, Ortiz, Pissaro, Jaudin, Henri Rousseau etc., sont tes émules ».

Ce portrait est souvent considéré comme celui de Pierre Loti. Pourtant, dans une lettre au directeur de la galerie Charpentier datée de 1952 [près de cinquante ans après la réalisation de l'œuvre), à l'occasion d'une grande rétrospective du peintre, l'écrivain Edmond Frank affirme : « Or je puis vous assurer que cette œuvre 1° n'a jamais été le portrait de Pierre Loti, 2° qu'elle est mon propre portrait exécuté par le Douanier Rousseau à mon propre domicile. »

autre contrainte que celle que l'artiste se donne à lui-même ? Dans une société où la République commence à peine à construire un monde meilleur, n'est-il donc pas le lieu, le seul, où la liberté peut vraiment s'épanouir ?

Rousseau peint l'amour qui devrait régner sur terre

Cette année-là, le Salon d'automne présente une rétrospective d'œuvres de Gauguin. En voici donc un qui a fait son chemin. On se souvient qu'il rencontra et apprécia Rousseau, nettement plus âgé que lui. Rousseau, lui, montre *Joyeux Farceurs*, une drôle de toile à l'humour énigmatique : deux singes espiègles ont renversé quelque chose qui a tout d'une bouteille de lait. Joyeux farceur, ce n'est vraiment pas son cas : il est des plus sérieux quand, recevant la visite d'un peintre et d'un critique, il termine tranquillement son repas avant de s'occuper d'eux, quand il s'inspire d'une gravure de Pirodin pour peindre *Le Pâturage*, quand il pose pour Harry Bloomfield ou, enfin, quand il porte au 23ᵉ Salon des indépendants, en 1907, cinq tableaux, dont l'œuvre ambitieuse intitulée fièrement *Les Représentants des puissances étrangères venant saluer la*

République en signe de paix. Voici Marianne et le président de la République entourés de quelques souverains étrangers qui ne se rencontrèrent ainsi que dans l'imagination de Rousseau.

« On entend le murmure des oiseaux, le sifflement des serpents... »

Philippe Soupault

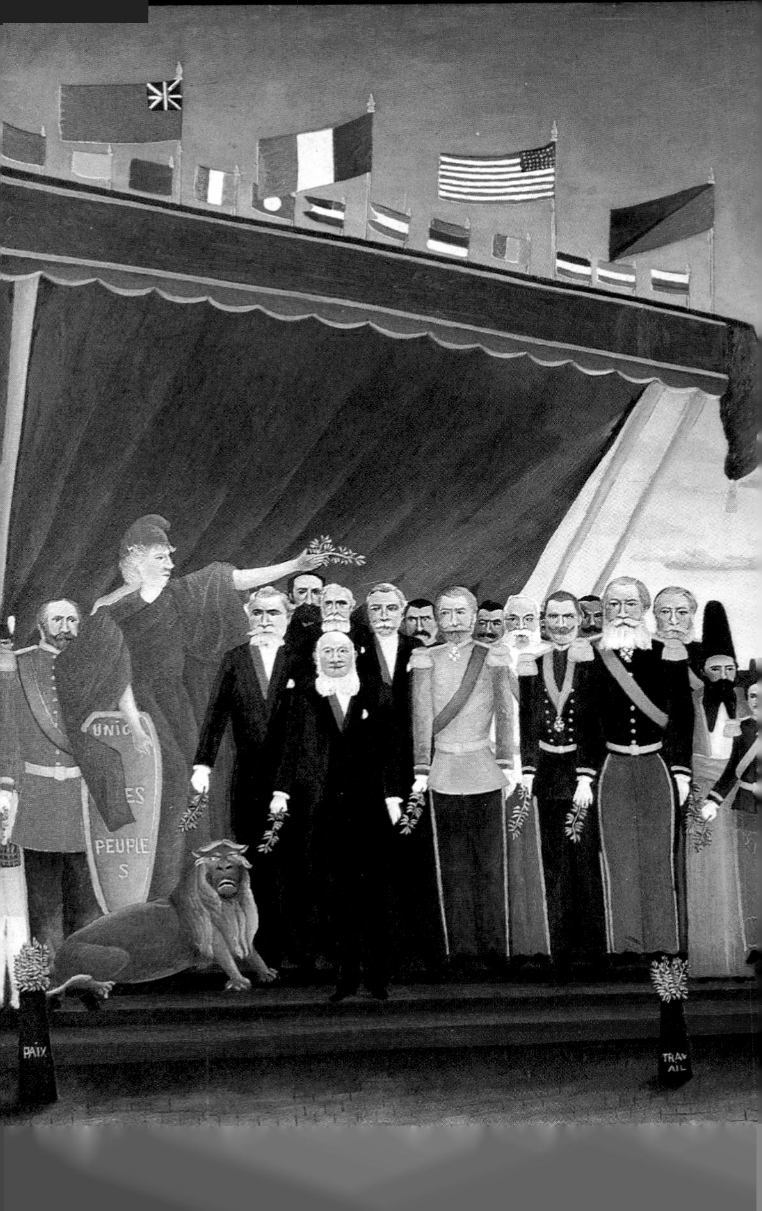
UNIG
ES
PEUPLE
S
PAIX
TRAV
AIL

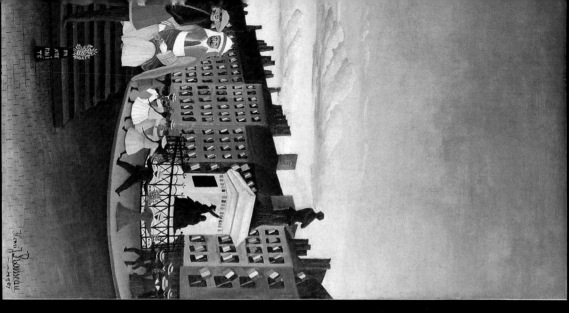

Les Représentants des puissances étrangères venant saluer la République en signe de paix (1907).

Le peintre réunit à une même tribune des personnalités qui ne se sont jamais trouvées ensemble. Au côté des six présidents français qui se sont succédé de 1879 à 1907, en habit noir, groupés sous la branche d'olivier que tend la République (Armand Fallières, Jules Grévy, Sadi-Carnot, Émile Loubet, Casimir Perier, Félix Faure), il fait figurer neuf souverains étrangers : de gauche à droite, Nicolas II de Russie (uniforme jaune et bleu), Pierre Ier de Serbie, François Joseph d'Autriche, Guillaume II d'Allemagne (uniforme noir), Georges Ier de Grèce, Léopold II de Belgique (uniforme noir et rouge), Menélik II d'Ethiopie, Muzaffar-al-Din de Perse (avec une haute coiffe) et Victor Emmanuel III d'Italie. Puis viennent les représentants des colonies françaises : Madagascar, l'Afrique noire, l'Indochine et l'Afrique du Nord. Tous, amis ou ennemis du moment, arborent le rameau d'olivier de la paix. Quant à la statue (à gauche), ce serait, selon Yann Le Pichon, celle d'Etienne Dolet, imprimeur humaniste brûlé en 1546 en raison de son athéisme.

«Dans aucune comédie, dans aucun cirque, je n'ai entendu rire comme devant le tableau de Rousseau *Les Souverains*»

La remarque est du collectionneur Wilhelm Uhde, le plus ardent de ses défenseurs, qui ajoute : «On aurait mené à Charenton celui qui aurait voulu y trouver des qualités.» Témoignage confirmé en 1907 par le peintre italien Ardengo Soffici, qui lui-même exposa aux Indépendants : «Mais il y avait surtout, chaque année, les tableaux d'un peintre qui semblait tellement abandonné des dieux que le public s'agglomérait d'un air menaçant devant ses œuvres, ou se tordait, ce qui avait pour effet, tantôt d'alarmer le gardien, tantôt de le faire rire aussi.» La critique,

Robert Delaunay (page de droite, à droite) avait suggéré à sa mère (en haut) de commander un tableau à Rousseau. Quelque temps avant, Mme Delaunay avait invité le peintre et lui avait raconté, comme elle avait l'habitude de le faire, ses souvenirs d'un voyage en Inde. *La Charmeuse de serpents* (ci-dessus), qu'il composa à son intention, serait, dit-on, inspirée de ce récit.

elle, est en retrait par rapport à l'année 1905, le citant très peu et remarquant encore : «Rousseau peint des pantins comme un élève de l'école primaire qui n'a pas de disposition pour la peinture» (*Le Figaro*).

Les jeunes, cependant, viennent de plus en plus nombreux à lui. Et Jarry lui présente Apollinaire

Le critique Basler, le futur marchand Brummer (un des premiers propagateurs de l'art nègre), le collectionneur Wilhelm Uhde, les peintres Jastrebzoff et Delaunay le vénèrent. Wilhelm Uhde, qui est alors le mari de Sonia Terk (la future Sonia Delaunay), lui présente Mme Delaunay, la mère du peintre Robert, pour laquelle le Douanier peint *La Charmeuse de serpents*. Et c'est grâce à Alfred Jarry qu'il fait la connaissance de Guillaume Apollinaire, sans doute en 1907. Aussitôt, le poète écrira un article quelque peu fantaisiste dans lequel il fait parler Rousseau en vers... Apollinaire contribuera à répandre la légende selon laquelle le soldat Rousseau a rapporté ses paysages exotiques d'une expédition militaire au Mexique.

Le tableau n'obtint aucun succès au Salon d'automne de 1907. Un autre solitaire, longtemps méconnu et qui venait de mourir, y était célébré : Paul Cézanne. Tout opposait ces deux peintres qui avaient à peu près le

même âge et, l'un et l'autre, un sens aigu de l'indépendance. Lui-même disciple de Cézanne, Delaunay fut un grand défenseur du Douanier. Il fut ami de l'homme et toujours un grand admirateur du peintre, dont il posséda plusieurs œuvres et qu'il s'attacha à mieux faire connaître. Alors qu'Alfred Jarry (ci-contre), après avoir été séduit par *La Guerre*, ne semble pas avoir pris Rousseau vraiment au sérieux. Il est vrai qu'il ne prenait pas grand-chose au sérieux.

Rousseau peint la foi qu'il a toujours eue dans l'art : la flûte de la belle dame noire (mais pas négresse pour autant) a le pouvoir d'adoucir les mœurs des reptiles qui, dans la forêt vierge, entretiennent une menace constante. En voici deux, énormes, qui viennent à elle avec des intentions aussi pacifiques que celles du lion qui, dans le désert, flaire une bohémienne qu'il n'ose pas toucher. Rousseau peint la violence affamée des fauves qui s'entre-tuent et la douceur magique de femmes sereines.

Rousseau rêve d'une paix universelle dans la nature, peint l'amour qui devrait régner sur terre. Rousseau est un charmeur qui peint dans les

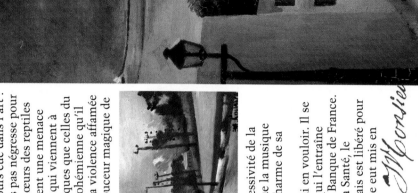

rires du public, qui fait front à l'agressivité de la critique, avec la ferme assurance que la musique finira par se faire entendre, que le charme de sa peinture finira par s'imposer.

La vie, pourtant, n'a pas fini de lui en vouloir. Il se fait bêtement piéger par un escroc qui l'entraîne dans une affaire de faux grugeant la Banque de France. Et le voici incarcéré à la prison de la Santé, le 2 décembre 1907. Il y passe Noël mais est libéré pour le 1er janvier, après que son complice eut mis en évidence sa naïveté et que Victor Pannelier, conseiller municipal à Paris, franc-maçon et vieille relation de l'inculpé, eut écrit au juge d'instruction pour témoigner en sa faveur. L'affaire n'en continue pas moins son cours jusqu'au procès qui le conduit, un an plus tard, pour la troisième fois de sa vie, devant un tribunal. En cour d'assises.

La police protège l'empereur de Prusse contre l'agression du peintre républicain

Libre, en attente de jugement, Rousseau expose aux Indépendants. Le vernissage a été précédé par une visite du commissaire de police du quartier des Champs-Elysées qui, habilité à exercer une censure

Rousseau brosse une esquisse sur le motif. Puis, à l'atelier, il change de format et s'applique aux détails pour aboutir à cette *Vue de Malakoff*.

expéditive, a fait décrocher quatre tableaux, malheureusement disparus. Deux de ces œuvres nous sont connues par des comptes rendus de presse : toujours attentif aux problèmes de son temps, Rousseau a peint une *Scène de jiu-jitsu représentant le Tsar et le Mikado tout nus, luttant à main plate* et un portrait du roi de Prusse Guillaume II, représenté

Venu d'Outre-Manche, le football-rugby, comme on l'appelait alors, connaît une grande vogue en France. Et Rousseau en fait une sorte de ballet : *Joueurs de football.*

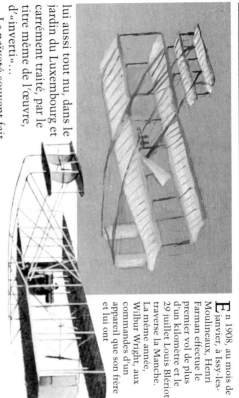

E n 1908, au mois de janvier, à Issy-les-Moulineaux, Henri Farman effectue le premier vol de plus d'un kilomètre et le 29 juillet Louis Blériot traverse la Manche. La même année, Wilbur Wright, aux commandes d'un appareil que son frère et lui ont

construit, remporte record sur record. Fasciné par une invention qui répond à l'un des rêves les plus anciens de l'humanité – celui de voler –, Rousseau place dans le ciel d'une *Vue du pont de Sèvres* l'avion des Wright.

lui aussi tout nu, dans le jardin du Luxembourg et carrément traité, par le titre même de l'œuvre, d'« inverti »...

La naïveté souvent fait l'humour, mais l'ironie suscitée par la naïveté peut, avec le temps, paraître déplacée. Ainsi, au même salon, Rousseau expose ses célèbres *Joueurs de football* – il s'agit en fait de danse et de fraîcheur bucolique qui ont peu à voir avec la combativité sportive. Même Guillaume Apollinaire, qui pourtant se veut amical dans un article de *La Revue des lettres et des arts*, lui envoie une pique sans merci : « Et l'on est agacé de la tranquillité de Rousseau. Il n'a aucune inquiétude, il est content, mais sans orgueil. Rousseau n'aurait dû être qu'un artisan. »

Cela n'empêche pas le poète et le peintre de se lier. Et l'un de faire le portrait de l'autre, flanqué de sa muse, c'est-à-dire de sa maîtresse Marie Laurencin, figurée en solide matrone (un grand poète a une muse imposante, explique d'ailleurs à peu près Rousseau).

Apollinaire, d'ailleurs, se montre aussi désinvolte avec les séances de pose qu'avec le paiement de

M. et Mme Junier, rue Vercingétorix, sont épiciers. Ils ont une voiture et une jument blanche, Rosa, avec lesquelles, le dimanche, ils vont se promener, emmenant avec eux des amis, leur nièce Léa et leur chien Marquis (celui qui est dans la carriole). Rousseau profite parfois de ces excursions dominicales. Et c'est lui qui demande qu'on fasse des photos de la voiture. On en connaît trois, prises le même jour, en 1908, à Clamart. Le peintre s'est servi de l'une d'elles pour composer cette toile intitulée simplement *La Carriole du père Junier*, la photo a été retrouvée dans son atelier, maculée de peinture. Le tableau a appartenu au propriétaire de la carriole, mais nous ne savons pas si celui-ci l'avait acheté ou reçu en cadeau. Il fit ensuite partie de la collection Walter-Guillaume, qui est désormais exposée au musée de l'Orangerie à Paris.

l'artiste qui, pourtant, lui réclame un peu d'argent pour boucler son maigre budget. Et, sans doute, Marie Laurencin (elle-même peintre) ne montre-t-elle que peu d'entrain à aller se faire ainsi défigurer… Il n'empêche qu'Apollinaire se rend plusieurs fois dans

La Muse inspirant le poète, ou Guillaume Apollinaire et Marie Laurencin (première version).

la chambre-atelier du Douanier, qui prend avec précaution des mesures avant de dessiner son modèle. La méthode a du bon puisque, quand le tableau est exposé aux Indépendants, l'année suivante, alors qu'il est simplement intitulé *La Muse inspirant le poète*, le modèle est très vite identifié, à sa grande surprise.

Apollinaire va aussi chez Rousseau pour faire la fête. Le manque de confort de son domicile et sa pauvreté n'empêchent pas le peintre d'organiser des soirées où se rencontrent quelques écrivains et artistes, qui plus tard seront célèbres, et des petits commerçants du quartier. Les invitations sont faites

Quand il donne une fête, Rousseau établit à l'avance un programme musical.

Or...

1, H. Rousseau...

2, M'Renuder...

— 1ʳᵉ Partie —

Orchestre.

1, H. Rousseau. *Les deux sœurs.*
pas redoublé.

2, M' Giriet. *C'est un locataire.*

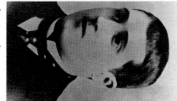

Il existe deux versions du portrait du poète et de sa compagne. Selon Apollinaire, Rousseau voulait conclure le tableau d'une rangée d'œillets de poète, mais, «grâce à la science incertaine des botanistes de la rue Vercingétorix, la peinture pieuse et pure l'emporta encore sur la littérature, et pendant mon absence, le Douanier, se trompant de fleurs, peignit des giroflées. Il répara son erreur dans le courant de la même année en tirant de nouveau mon portrait aux œillets de poète».

avec emphase et annoncent le programme des réjouissances. Rousseau joue du violon. D'autres musiciens amateurs se produisent. Des dames chantent et certains disent des vers.

Duo de la Norma.

1. Mejllarchand. — — — Piano.
11. Rousseau. — — — Violon.

— 3ᵉ Partie —

Me Guilhermet, l'avocat qui bientôt défendra le peintre accusé d'escroquerie, rencontre Apollinaire et Marie Laurencin, Francis Picabia et Maurice Utrillo.

Un jeune peintre du nom de Picasso achète un de ses tableaux

La plus belle des fêtes, cependant, c'est celle que Picasso organise en l'honneur de Rousseau dans son atelier du Bateau-Lavoir. Au moment où s'invente le cubisme, la bohème de Montmartre rend hommage à ce vieux peintre qui admirait le pompier Gérôme mais qui a compris, avant tout le monde, que l'avenir appartient aux primitifs plus qu'aux classiques. Chez un brocanteur de la rue des Martyrs, Picasso vient d'acheter le *Portrait de mademoiselle M.*, vraisemblablement la mystérieuse Yadwigha – cette femme qui semble avoir hanté Rousseau et dont personne ne sait vraiment qui elle fut.

On a dit – notamment Fernande Olivier, la maîtresse de Picasso, qui fut de la partie – que cette célébration était en fait une mystification. Rousseau avait bien été victime d'autres blagues. Ne lui avait-on pas fait croire qu'il avait la Légion d'honneur ou que le président de la République l'attendait à l'Elysée? Pourtant, Picasso, aussi doué d'humour fût-il, est un homme grave et un peintre des plus sévères. L'admirateur de l'art nègre et de l'art roman catalan a bien dû reconnaître dans celui qu'on nommera «le Maître de Plaisance» un artiste qui, avant lui, déroge aux règles de la perspective sur lesquelles s'est fondé l'art occidental depuis la Renaissance.

«Vive Rousseau!» Au Bateau-Lavoir, les artistes d'avant-garde lui font fête

La soirée est désormais connue dans l'histoire de l'art comme le «banquet du Bateau-Lavoir» et elle a fait l'objet de relations quelque peu divergentes. Il semble au moins certain que, ce

Picasso (photographié ici en 1908, au Bateau-Lavoir) a aimé, acheté et gardé cet étrange *Portrait de mademoiselle M*. Il se peut qu'il représente la mystérieuse Yadwigha, celle que l'on retrouve sur le divan du *Rêve*. D'elle, on sait seulement qu'elle fut une grande amie de Rousseau et qu'elle était déjà morte quand elle fut peinte, ce que symboliserait la branche inversée. Les pensées, une fois encore, se font l'écho de la fidélité de la mémoire du peintre. Le tableau était accroché en bonne place dans l'atelier de Picasso lors du banquet que celui-ci organisa en hommage au vieux peintre, ainsi qu'en témoigne l'un des participants.

« La salle du festin était l'atelier même de Picasso. C'était un véritable hangar de ferme soutenu par des poutres formidables qui paraissaient trop imposantes pour ne pas être creuses. Aux murs, que l'on avait débarrassés de leur parure coutumière, ne pendaient que quelques beaux masques nègres, un tableau monétaire (...) et, en place d'honneur, le grand portrait d'Yadwigha, peint par Rousseau. »

Maurice Raynal
Picasso

soir de 1908, sont au Bateau-Lavoir, entre autres convives, autour de l'hôte et de l'invité principal, Guillaume Apollinaire, Marie Laurencin, Georges Braque, André Derain, Max Jacob, André Salmon et deux Américaines qui joueront un rôle important dans la diffusion de l'art et de la littérature d'avant-garde : Gertrude Stein et Alice Toklas. On est vite émêché. Marie Laurencin s'assied sur une tarte et caresse tout le monde avec ses mains enduites de confiture...

Rousseau arrive, conduit par Apollinaire. Il a pris son violon et il jouera tout à l'heure sa fameuse valse «Clémence». On l'installe sur un fauteuil où, trônant stoïquement, il supporte les gouttes de cire fondue qui, d'un lampion, tombent sur lui. Apollinaire improvise un poème : «Nous sommes réunis pour célébrer ta gloire. / Ces vins qu'en ton honneur nous verse Picasso / Buvons-les donc, puisque c'est l'heure de les boire / En criant tous en chœur : "Vive! Vive Rousseau!"» Puis Georges Braque unit son accordéon au violon de Rousseau afin que l'on danse. André Salmon, qui a le vin mauvais, est neutralisé et enfermé dans un atelier voisin. Le héros de la fête pique du nez et n'est ramené chez lui, en voiture, par Léo et Gertrude Stein que quand l'aube se lève. Il vient de connaître sa nuit de gloire.

Moins d'un mois avant l'ouverture de son procès, Rousseau reçoit à son tour afin de fêter un de ses jeunes admirateurs, le peintre Max Weber qui s'en retourne en Amérique où il organisera la première exposition des œuvres du Douanier jamais réalisée.

L e Bateau-Lavoir (ci-dessous, une photographie annotée par Picasso) est, au début du siècle, une construction de bois sans aucun confort dans laquelle vivent et travaillent de nombreux artistes. Il domine, sur la Butte Montmartre, un terrain encore assez sauvage qu'on nomme «le maquis». C'est dans ce foyer de l'avant-garde artistique que Georges Braque et Pablo Picasso ont inventé le cubisme, peu de temps avant le fameux banquet.

D'après le programme polycopié adressé aux invités, on chante ce soir-là. Rousseau travaille encore au second portrait d'Apollinaire (celui aux œillets de poète) et se plaint de ce que la muse Laurencin ne vienne pas poser. Il y a un an, il était en prison.

« Vous n'avez pas le droit de condamner un primitif », plaide l'avocat de Rousseau. Le procès tourne à la farce

Les 8 et 9 janvier, le peintre est en cours d'assises où quelques journalistes n'ont pas manqué de venir, espérant bien que la vedette du jour les fera autant rire au procès qu'en peinture. Ils ne sont pas déçus. Il paraît vite clair que Rousseau a été plus dupé que dupe et que c'est en toute bonne foi qu'il a reçu le prix d'une complicité dont l'illégalité lui a échappé. Il a seulement voulu rendre un service que lui demandait le roublard Sauvaget.

" Dans le fond, face à la verrière, à la place destinée à Rousseau, une espèce de trône, fait d'une chaise élevée sur une caisse, se détachait sur un fond de drapeaux et de lampions. Au-dessus, une large banderole : « Honneur à Rousseau ». La table, une longue planche, était dressée sur des tréteaux. **"**

Fernande Olivier

Fernande Olivier, qui était alors la compagne de Picasso, a relaté dans ses mémoires le banquet du Bateau-Lavoir. Et, en 1968, le peintre Manuel Blasco Alarcon, après s'être bien documenté, a brossé la scène dans un style résolument naïf (ci-dessus).

Le président de la cour dit tout le mal qu'il pense de la peinture de Rousseau et semble y voir une preuve de sa malhonnêteté. Le peintre Maximilien Luce, au contraire, le défend.

Me Guilhermet, l'avocat du peintre, habilement, fait circuler un tableau dont la naïveté doit prouver l'innocence de son auteur. Le chroniqueur du *Figaro* écrit : «Très triste, Henri Rousseau, qui sous ses cheveux gris a l'air d'un ancien gendarme, regarde passer, de main en main, au milieu des sourires cette toile qui, de loin, semble la devanture d'un fruitier – toute sa gloire d'autrefois !» Il s'agit d'un tableau représentant, ainsi que le décrit *Le Petit Parisien*, «des singes jouant avec des oranges dans une forêt vierge». L'avocat général, sévère à l'encontre de l'escroc Sauvaget, se fait indulgent à l'égard de Rousseau.

Me Guilhermet pose cette question décisive : «Comment ce peintre du Moyen Age pouvait-il se rendre compte de la nature d'un chèque?» et il emporte le morceau : deux ans de prison avec sursis, ce n'est pas une mince victoire (il faut aussi, bien sûr, rembourser la dette à la Banque de France).

Tout content d'être libre, Rousseau, à l'énoncé du verdict, demande son adresse au président du jury qui n'en croit pas ses oreilles. Et le peintre explique : «Ne vous fâchez pas, Monsieur le Président, je voulais seulement, pour vous remercier, venir chez vous au 1er de l'an faire le portrait de votre dame.»

Le verdict, clément, n'en a pas moins une conséquence fâcheuse : Rousseau est exclu de l'Association philotechnique et perd ainsi un poste qui lui donnait une certaine importance. Désormais, c'est seulement chez lui qu'il fera école, allant même jusqu'à faire passer des examens à des enfants polissons et jouant faux, devant leurs parents cérémonieusement assis sur des chaises alignées le long du mur. Il porte toujours à la boutonnière le

BÊTES SAUVAGES

ENVIRON 200 ILLUSTRATIONS
AMUSANTES DE LA VIE
DES ANIMAUX

À TEXTE INSTRUCTIF

AUX GALERIES LAFAYETTE
PARIS

Rousseau a acquis un exemplaire de l'album illustré *Bêtes sauvages* publié par les grands magasins Aux Galeries Lafayette. Il en copie certaines gravures et les introduit dans ses tableaux. La page 152 de l'album lui fournit ainsi l'image du gardien de zoo jouant avec un jaguar mais,

sous son pinceau, l'homme est réduit à une silhouette noire pour prendre place au centre d'une grande composition végétale, *Nègre attaqué par un tigre* (page suivante et ci-contre, un détail). Car il a toujours du mal à dessiner ses personnages et à les intégrer dans les paysages.

Beaucoup plus pacifiques, les singes de cette *Forêt tropicale avec singes* (ci-dessus), eux aussi inspirés de l'album des grands magasins, ont des activités humaines : le macaque du premier plan, les pieds dans l'eau, tient une pelle tandis qu'à l'arrière son cousin pêche à la ligne.

Henri Rousseau 1910

Les oranges de l'ironie

Lors du procès au cours duquel Rousseau fut accusé d'escroquerie, Me Guilhermet exploita l'apparente maladresse de son client pour en faire une preuve de sa naïveté et donc de son innocence. Il fit passer un petit tableau (qui a disparu) représentant «des singes dans une forêt vierge, tenant dans leurs mains des oranges aussi grosses que des œufs d'autruche». On retrouve ces singes dans plusieurs œuvres, par exemple dans ce *Paysage exotique*. L'avocat, dans ses mémoires, parle d'un autre tableau qui, lui aussi, a disparu : «Trois singes, dans le fond, représentaient le président et ses deux assesseurs, juchés chacun sur un cocotier. Sur le même plan, l'un à droite l'autre à gauche, deux cocotiers avec singes : l'avocat général et le greffier d'audience [...], au dessous, Joseph Python et moi, sous les apparences de singes pourvus chacun de notre petit cocotier. Le peintre avait mis entre nos mains, à chacun, une orange aussi volumineuse qu'une montgolfière. Il voulait représenter ainsi les arguments massues dont nous allions bombarder le ministère public.»

Un cheval dans la jungle

Cheval attaqué par un tigre est une des toutes dernières œuvres de Rousseau. A peine sec, le tableau fut acheté par le marchand Ambroise Vollard, qui le revendit à un collectionneur russe. Dans cette scène où la végétation semble participer à la violence de l'agression, le cheval blanc paraît d'une étonnante sérénité. Rousseau, se sentant vieillir, voyait-il la mort avec la même résignation ? En tout cas, l'œuvre illustre bien ce qu'écrit alors Ardengo Soffici.

❝ J'ai, en rappelant Paolo Uccello, nommé, sans le vouloir, le seul artiste européen auquel on puisse peut-être comparer Henry *(sic)* Rousseau. Comme lui il vit dans un monde étrange, fantastique et réel à la fois, présent et lointain, tantôt risible et tantôt tragique; comme lui il se complaît dans l'abondance luxuriante des gerbes, des fruits et des fleurs, dans la compagnie imaginaire d'animaux, bêtes féroces et oiseaux; comme lui il passe sa vie à travailler obscurément, recueilli et patient, salué de rires et de huées, toutes les fois qu'il sort de sa solitude pour montrer au monde le fruit de ses fatigues. **❞**

Indépendants. Le critique de *Comœdia* montre plutôt de l'indulgence pour ce tableau et pour le portrait de Brummer, le marchand hongrois qui est bien incapable de le payer. Rousseau donne encore une fête où viennent Apollinaire, Picasso, Max Jacob et Georges Duhamel. Il va déjeuner chez Picasso et Fernande Olivier et vit un dernier amour malheureux avec Léonie, une veuve de cinquante-neuf ans qui se refuse au mariage en prétextant que son père ne l'y autorise pas! Il lui fait des cadeaux et elle se joue de lui. Peut-être augmente-t-il un peu ses revenus (selon un témoignage d'André Salmon) en faisant le tour des marchands de journaux pour inspecter les ventes du journal *Le Petit Parisien*, mais cela ne doit pas durer longtemps car il est toujours en quête d'argent auprès d'Apollinaire et de Brummer et reste endetté auprès de son marchand de couleurs.

Le nombre des admirateurs augmente et Ambroise Vollard, le marchand de tableaux de la rue Laffitte, qui a fait preuve d'une belle intuition à l'égard de Cézanne, s'intéresse à Rousseau et lui achète onze tableaux en 1909. La situation,

ruban violet des palmes académiques dont il n'a jamais été décoré.

La gloire lui vient peu à peu, mais il est malheureux en amour

La vie, donc, continue son cours. Il termine la deuxième version de *La Muse inspirant le poète* et expose la première aux

Max Jacob (à gauche, sur un dessin de Picasso) avait à peine plus de vingt ans au moment du banquet du Bateau-Lavoir, dont il fut un des convives. Cet ami d'Apollinaire et de Picasso était alors un exemple de cette bohème de Montmartre qui inventait l'art moderne dans la dérision des valeurs traditionnelles et le recours à une imagination très libre. Par son goût prononcé pour le langage simple des chansons populaires, par son sens du burlesque et par un mysticisme au premier degré, Max Jacob était, comme Rousseau, un «primitif».

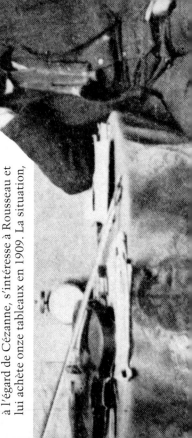

Le cliché ci-contre, sur lequel Rousseau pose devant le *Portrait de Joseph Brummer* et la seconde version de *La Muse inspirant le poète* (ci-dessous, l'œuvre terminée), montre comment le peintre procède : il met d'abord en place le décor végétal avant de s'atteler aux personnages. Sur la technique qu'il emploie pour ceux-ci, Apollinaire nous fournit un précieux témoignage.

« Avant tout il mesura mon nez, ma bouche, mes oreilles, mon front, mes mains, mon corps tout entier, et ces mesures, il les transporta fort exactement sur sa toile, les réduisant à la dimension du châssis. [...] je restais immobile, admirant avec quelles précautions il s'opposait à ce qu'aucune fantaisie autre que celle qui caractérisait sa personnalité vînt détruire l'harmonie de son dessin mathématiquement semblable à la figure humaine qu'il voulait représenter. S'il ne m'avait pas peint ressemblant, le Douanier n'aurait fait aucune erreur, les chiffres seuls se seraient trompés. Mais l'on sait que même ceux qui ne me connaissaient pas m'ont immédiatement reconnu. »

Le Rêve, tableau reçu au Salon des Indépendants de 1910.

Offert à mon ami M. Joseph *Brummer par moi* Henri *en échange du tableau.*

Paris, le 17 avril 1910.

Henri Rousseau

donc, s'améliore, moralement et matériellement – mais n'a pas à rembourser peu à peu la Banque de France ? Si ce n'est que la réticence de Léonie lui gâche ses vieux jours et le met dans des situations ridicules : il en vient à demander à Vollard et à Apollinaire de lui établir un certificat attestant qu'il est un peintre tout à fait sérieux !

Il voit toujours Picasso, Uhde, Delaunay, le peintre Serge Jastrebzoff (qui prendra ensuite le pseudonyme de Férat) et sa sœur, la baronne Hélène d'Oettingen

> **«Cette femme endormie sur ce canapé rêve qu'elle est transportée dans cette forêt entendant les sons de l'instrument du charmeur. Ceci donne le motif pour lequel ce canapé est dans le tableau.»**
>
> Henri Rousseau,
> Lettre à un critique

qui, elle, se fera appeler Roch Grey, nom dont elle signera une monographie sur Rousseau. Toujours soucieux des autres, il prend aussi le temps de recommander des amis aussi démunis que lui aux personnes dont il croit qu'elles pourraient leur apporter de l'aide.

Avant de mourir il peint un de ses grands chefs-d'œuvre : *Le Rêve*. Le rêve, bien sûr.

Aux Indépendants de 1910, il montre son dernier chef-d'œuvre, une de ses toiles les plus étranges et les plus célèbres : *Le Rêve*, qu'il explicite, ainsi qu'il aime le faire pour ses compositions les plus ambitieuses, d'un petit texte :

« Yadwigha dans un beau rêve / S'était endormie doucement / Entendant les sons d'une musette / D'un charmeur bien pensant. / Pendant que la lune reflète / Sur les fleurs, les arbres verdoyants, / Les fauves et autres animaux prêtent l'oreille / Aux sons gais de l'instrument.»

Une femme dort sur un divan en pleine forêt vierge. Absurde, remarque-t-on. Mais le peintre d'expliquer que, simplement, cette femme s'est endormie, et elle rêve qu'elle est dans la forêt vierge. Le raccourci ne manque pas d'audace et le surréalisme y trouvera son bonheur. Tableau-manifeste, encore. Tableau-testament. Le rêve aura toujours été le mot clef, le vrai domaine de Rousseau qui ne vit jamais le Mexique et qui, en fait d'exotisme, ne connut que le Jardin des Plantes et les expositions internationales. Apollinaire écrit dans *L'Intransigeant* : «De ce tableau se dégage de la beauté, c'est incontestable.

Ambroise Vollard (ci-dessus peint par Renoir), qui a assuré la promotion de Cézanne, a l'intuition du talent de Rousseau. Il lui achete quelques tableaux, dont *Le Rêve* (à gauche). De ce tableau dont il a fait une des icônes du surréalisme, André Breton a écrit : «Je ne suis pas loin de croire que, dans cette grande toile, toute la poésie et toutes les gestations mystérieuses de notre temps sont incluses : aucune autre ne me garde, dans la fraicheur inépuisable de sa découverte, le sentiment du sacré.»

[...] Je crois que cette année personne n'osera rire. [...] Demandez aux peintres. Tous sont unanimes : ils admirent tout, vous dis-je, même ce canapé Louis-Philippe perdu dans la forêt vierge, et ils ont raison. »

Encore une fête le 4 avril. Rousseau, s'accompagnant au violon, chante « Auprès de ma blonde », ainsi que le faisaient les personnages d'un de ses tableaux pour fêter le centenaire de la République. Apollinaire, Jastrebzoff et Soffici sont là. Des jeunes filles disent des poèmes. Quinze jours plus tard, *La Phalange* publie un article de Léon Werth consacré aux Indépendants et s'attarde longuement sur le tableau de Rousseau. Le critique est réservé et n'apprécie pas le canapé, mais son analyse ne manque pas de finesse quand il rapproche l'art de Rousseau de celui de gravures populaires et qu'il affirme : « Pour réussir à notre époque un art de primitif, il faut être un primitif. » Vollard, lui, achète le tableau.

Est-ce qu'il sent la mort venir ? Rousseau travaille énormément en cette année 1910. Il a quelques commandes, qu'il a tendance à exécuter un peu vite

Les natures mortes sont rares dans l'œuvre de Rousseau. Celles qu'il a peintes dans les dernières années de sa vie sont remarquables par la chaleur et la vivacité de leurs coloris. Les fleurs de ce *Bouquet* semblent curieusement lourdes et solides. On peut supposer que Rousseau, qui peignait lentement, prit pour modèle des planches gravées et non des fleurs naturelles. *La Bougie rose*, un tout petit tableau, est une des deux seules natures mortes d'objets qu'il ait réalisées. Bouteille et bougie traitées en plans fermes... Picasso n'est pas loin.

(toujours ces dettes...) et, surtout, même s'il ne les vend pas très cher, il voit partir bon nombre de ses tableaux (toujours Vollard, Uhde, la baronne d'Oettingen), de sorte qu'il peut craindre de manquer de toiles à proposer

– rappelons que, d'ordinaire, il peint lentement. Pendant ce temps, le peintre Soffici prépare une importante étude sur son œuvre.

La mort lui vient avec des anges, mais l'hommage est posthume

En fait, il est malade. Il a des plaies ouvertes à la jambe que, peut-être, il soigne mal et, à la fin du mois d'août, il doit être transporté à l'hôpital Necker. Il s'y éteint, dans des visions d'anges, de séraphins, d'orchestre céleste, selon un

témoignage indirect qui a pour lui d'être trop beau pour ne pas être vrai.

Celui qui fut un des premiers peintres à rendre hommage à la modernité représentée par la tour métallique érigée en 1889 au Champ-de-Mars poserait, pour dernières paroles, cette question qui met en cause son ami Delaunay : «Pourquoi Robert a-t-il cassé la tour Eiffel ?.»

Preuve que ce primitif a du mal à comprendre les préoccupations intellectuelles sur lesquelles se fonde une modernité nouvelle ouverte par le cubisme. Lui qui fut le plus intègre des visionnaires ne peut comprendre une peinture telle que la font alors Picasso et Delaunay, c'est-à-dire dépendante d'une théorie esthétique. Ceux-là ont reconnu en lui l'artiste d'une rupture fondamentale, mais c'est sur

Peu après la mort de Rousseau, Robert Delaunay peint *La Ville de Paris*, tableau dans lequel il introduit une citation de *Moi-même, portrait-paysage* : le bateau et le pont sur lequel Rousseau se tient avec sa palette. Et il peint cet émouvant portrait posthume d'un peintre bien mal-aimé de son vivant et dont il fut un des premiers à reconnaître le génie et la modernité.

une tout autre voie qu'ils s'engagent. Dans la plus grande fidélité, cependant, puisque Picasso ne se séparera jamais du tableau qui fut l'occasion du banquet du Bateau-Lavoir et que Delaunay, après avoir veillé à lui donner une sépulture décente, lui gardera toujours son affection.

Le 21 avril 1911, s'ouvre le Salon des indépendants, avec une exposition de quarante-quatre œuvres de Rousseau. Hommage un peu tardif de cette société dont il a été membre pendant vingt-cinq ans. Reconnaissance posthume d'un peintre qui eut la lucidité de ne jamais douter de son génie et qui peignit toujours, à de rares exceptions près, contre le public et contre la critique et qui, ainsi que l'affirme Apollinaire dans l'éloge funèbre gravé sur la tombe du premier des grands primitifs modernes, est au ciel où il se consacre à peindre « la face des étoiles ».

« Peu d'artistes ont été plus moqués durant leur vie que le Douanier, et peu d'hommes opposèrent un front plus calme aux railleries, aux grossièretés dont on l'abreuvait. Ce vieillard courtois conserva toujours la même tranquillité d'humeur et, par un tour heureux de son caractère, il voulait voir dans les moqueries mêmes l'intérêt que les plus malveillants à son égard étaient en quelque sorte obligés de témoigner à son œuvre. Cette sérénité n'était que de l'orgueil bien entendu. Le Douanier avait conscience de sa force. Il lui échappa une ou deux fois de dire qu'il était le plus fort des peintres de son temps. Et il est possible que sur bien des points il ne se trompât point de beaucoup. »

Guillaume Apollinaire

TÉMOIGNAGES ET DOCUMENTS

Naïf dans la vie comme en peinture.
Mais fier et tout de même entouré par quelques
admirateurs, Ainsi Rousseau est-il entré dans la légende.

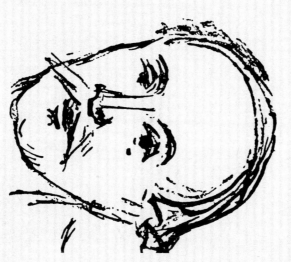

Rousseau dans son atelier

Dans ses dernières années, Rousseau vit et peint dans une même pièce, rue Perrel, dans le quartier de Plaisance. Il a peu de place et peu de biens. Cela ne l'empêche pas de recevoir quelques élèves à qui il enseigne son art, ou plutôt qu'il laisse peindre à côté de lui en leur prodiguant des conseils. Et le dimanche, il accueille volontiers des admirateurs, des amis, des curieux.

Wilhem Uhde

Wilhelm Uhde, collectionneur allemand, est un ami du peintre Robert Delaunay. On lui doit le premier ouvrage consacré à Rousseau. Il y raconte une visite dans l'atelier du peintre, un dimanche.

Une petite rue coupe la rue Vercingétorix : c'est la rue Perrel. Elle n'est longue que de quelques pas et aboutit à un mur. On se croirait loin de Paris dans une ville de province. Le rez-de-chaussée d'une maison basse est occupé par les ateliers d'un mouleur; en haut il y a quelques chambres qu'il loue; une des portes a une plaque où on lit ces mots : cours de diction, musique, peinture et solfège.

Nous frappons et nous entrons; le père Rousseau vient à notre rencontre. De ses deux mains il serre la nôtre et nous demande comment nous allons, d'une voix claire et pure comme celle d'un enfant, et dénuée d'emphase. Aujourd'hui il ne porte point sa blouse de toile car c'est dimanche et il a du monde. Toutes sortes de gens dans la petite pièce : de braves bourgeois du quartier, qui ont le dimanche la poule au pot et les autres jours le pot-au-feu, puis un vieux peintre et un littérateur que nul ne connaît. Ils regardent une toile dressée sur un chevalet et qui occupe la plus grande partie de la pièce. C'est un paysage de forêt vierge avec des bêtes féroces.

«Ça te plaît?», demande Rousseau à un jeune homme qui porte dignement une redingote noire.

Il y a une certaine insistance dans sa voix, et l'on sent qu'il a déjà posé la question une fois. L'interpellé se donne du temps; enfin il dit :

«Tu sais, Rousseau, le tableau que tu avais l'autre fois aux Indépendants n'était pas mal non plus.

– Tu devrais faire les feuilles du premier plan plus foncées», dit un autre.

Étonnamment mondain, Rousseau reçoit dans son atelier amis et voisins. Pour le plaisir de la fête (on y fait de la musique), et sans doute aussi dans l'espoir de vendre quelques tableaux.

Et les observations l'assaillent de tous côtés; on les examine, on les discute, on se met d'accord.

«Et toi, demande maintenant Rousseau à un jeune homme qui, se tenant à l'écart, ne semble pas entendre ce que les autres disent et ne cesse de considérer le tableau, est-ce que cela te plaît?

– Je le trouve très beau, répond le jeune homme à voix basse, je crois que c'est le plus beau que tu aies fait.

– Alors tu es content?»

De nouveau, nous sommes frappés de la sonorité agréable de l'harmonie de cette voix. Il est de première importance que le tableau plaise au jeune homme, car c'est un collectionneur et il a commandé le tableau. Il meurt d'envie de l'enlever du chevalet et de l'emporter chez lui. Mais Rousseau veut y faire encore quelques retouches, puis il faut qu'il soit exposé au Salon d'automne.

Rousseau aussi a l'air content. Il a des clients – pas beaucoup, peut-être quatre ou cinq – mais il est sûr d'en avoir bientôt un grand nombre. Ses hôtes aussi sont contents, car c'est dimanche, et ils ont montré qu'ils s'y connaissent en peinture, et peut-être mieux que le peintre lui-même. Ils prennent leurs verres et trinquent avec Rousseau.

Sur l'une des chaises alignées le long du mur comme dans une salle de danse, est assis un très vieil homme qui n'a point pris part à la discussion artistique; d'un air indifférent, il regarde par la fenêtre; la peinture l'ennuie et il se moque doucement des gens qui sont dans la pièce. Comme Rousseau, c'est un ancien gabelou...

Wilhelm Uhde,
Henri Rousseau, Figuière, Paris, 1911,
cité par Henri Certigny,
La Vérité sur le Douanier Rousseau,
Plon, 1961

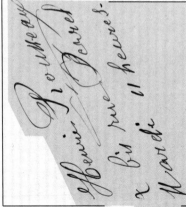

Peintre et critique d'art, Ardengo Soffici séjourne longuement à Paris, où il se lie avec le Douanier Rousseau. Il va le voir chez lui, un jour de mars 1910, pour lui commander un tableau.

Je le trouvai dans un petit atelier tout blanc, assez dégarni, avec une grande fenêtre donnant sur une rue d'employés, où se trouvaient des boutiques de blanchisseuses et de repasseuses. A mon arrivée, il devait être en train de travailler à la grande toile que j'aperçus sur le chevalet, car il m'avait ouvert en blouse et le pinceau à la main. Je ne crois pas qu'il ait compris mon nom, que je prononçai en me présentant, ni ce que pouvait être cet étranger qui arrivait chez lui sans crier gare, mais il m'accueillit et, tout de suite, me traita comme une vieille connaissance. Moi-même, j'eus l'impression de l'avoir toujours connu. C'était un petit vieux un peu voûté, mi-peuple mi-petit bourgeois, comme on en rencontre tant le dimanche en banlieue, ou assis sur les bancs des jardins publics. De son nez un peu rouge tombait sur des lèvres molles et humides une paire de moustaches blanchâtres. Il suffisait de se l'imaginer avec un képi sur son front un peu dégarni, avec une

visière qui ferait ombre sur ses petits yeux au regard tour à tour vide ou malicieux, pour avoir devant soi le douanier ou plutôt le gabelou qu'il fut avant d'être peintre.

Tandis que nous échangions les premiers mots, je m'aperçus de la présence de deux autres personnes dans un coin de l'atelier. Il s'agissait de deux autres vieux qui, perchés sur de hauts tabourets, chacun devant un chevalet à trois pieds, étaient, eux aussi, en train de peindre. L'un, qui était long, sec et tout décrépit, avec une barbe de huit jours et de grandes lunettes tombant sur son nez busqué, tenait à la main une palette minuscule et sale et, à l'aide d'un pinceau d'enfant, s'efforçait de copier un paysage lacustre imprimé sur une carte postale dans des teintes à s'évanouir; l'autre, une sorte de pensionné rondouillard et un peu moins débraillé, s'appliquait à une besogne du même genre, mais en faisant porter ses efforts sur une oléographie brillante comme un escarpin, et représentant une tête de chat avec un ruban autour du cou.

«Ce sont deux de mes amis et élèves, expliqua Rousseau en me conduisant vers eux et en me les présentant sans les nommer. Il y a déjà un bout de temps qu'ils étudient avec moi, mais depuis plusieurs années, ils commencent à faire des progrès. Ne trouvez-vous pas?»

Je me penchai pour examiner le travail des deux stupéfiants écoliers. Jamais je n'avais rien vu d'aussi minable en fait de peinture dilettante et sénile. Epouvantable!

«Certainement, dis-je, ils n'ont qu'à continuer.»

Ensuite je passai à l'examen de la grande peinture commencée.

Sur cette toile avaient été crayonnés les contours de nombreuses tiges de plantes exotiques en fleurs et de larges feuilles lancéolées sur un fond de ciel, surgissant d'un fouillis végétal aux herbes ou aux bambous en forme d'épée, au milieu duquel un fauve – tigre ou panthère – lacérait une espèce de gazelle. Seule une partie des feuilles était couverte d'une couleur verte de plusieurs tons.

« Vingt-deux verts! », me dit le peintre en souriant avec satisfaction.

Et comme je le regardais un peu surpris, il m'expliqua qu'en effet il avait étalé sur ses feuilles les vingt-deux tons, l'un après l'autre, et qu'il recommencerait la même opération pour le reste du feuillage.

La palette était posée sur un tabouret; j'y jetai un coup d'œil: Rousseau avait dit vrai car je n'y vis d'autre couleur que du vert : le vingt-deuxième ton. Lui ayant demandé d'éclairer un peu mieux ma lanterne, il me révéla sa méthode picturale.

Après avoir dessiné au crayon toute l'œuvre projetée, il n'employait dans la réalisation qu'une seule couleur à la fois : autant de tons pour les verdures, autant pour les ciels, pour les fleurs, les bêtes, les visages, les costumes et les objets; après avoir usé d'un ton, il nettoyait chaque fois sa palette et l'approvisionnait de nouveau. Lorsqu'il avait étalé tous ses tons dans les contours, le tableau se trouvait terminé. J'appris également de sa propre bouche qu'il fixait le prix de la toile d'après le total des tons employés dans chaque couleur. Edifié par ces nouvelles, j'arrivai à lui parler du paysage avec les vaches que j'avais vu au Cours-la-Reine.

Ardengo Soffici,
Trenta Artisti Moderni Italiani e Stranieri,
Vallechi Editore, Florence, 1950.
Traduction Euro Civis,
cité par Henri Certigny,
op. cit.

Le procès

En 1907, Rousseau est accusé d'escroquerie et incarcéré pour quelques jours à la prison de la Santé. Il a été, semble-t-il, entraîné par plus malin que lui dans une affaire de faux aux dépens de la Banque de France. Il n'y a vu, dit-il, que l'occasion de rendre service à un ami et de gagner une somme inattendue et bien nécessaire. Le procès s'ouvre l'année suivante.

«A Monsieur Boucher, juge d'instruction»

Comprenant mal ce qui lui arrive, Rousseau écrit de sa prison plusieurs lettres au juge d'instruction, usant de tous les arguments pour lui demander de le laisser sortir. Nous reproduisons deux de ces lettres, en respectant l'orthographe et le style de leur auteur.

5 décembre 1907 [...]

Monsieur le Juge,

J'ai l'honneur de m'adresser à vous, afin d'obtenir votre indulgence. Si malheureusement j'ai été victime de ma croyance au sujet de ce que m'avait dit M. Sauvaget, c'est que je n'aurais jamais pensé que lui-même ne fut pas honnête et qu'il se crut un droit de réclamer une somme ne lui appartenant pas. C'est vrai que je l'avais vu depuis au moins 8 ans. Et croyez-le bien Monsieur le Juge, je n'avais pas suivi ses conseils dans un but pécunier puisqu'il peut le dire je refusais toute proposition d'argent, ce qu'il me donna je ne voulais même pas l'accepter. Dans ma vie j'ai toujours fais le bien selon mes facilités moralement d'abord et matériellement ensuite, vous pouvez le savoir par la Mairie du XIVe arrondissement. J'ai eu le malheur de perdre deux femmes et six enfants, et si je ne m'était pas relevé par le travail seul ou en serai je [sic] aujourd'hui!

J'ai fait 32 ans de service, à 40 ans je commençais à peindre, et lorsque de grands maîtres tels que Gérôme, Bonnat et autres eurent vu mes premières études, ils m'engagèrent à continuer, et je me mis à l'œuvre plus sérieusement.

J'exposais des toiles qui eurent beaucoup de succès, parmi lesquelles je puis vous citer : *Dans l'attente, La Guerre, Un Centenaire de l'indépendance, Un pauvre Diable, la*

Lutte pour la vie représentée par des animaux, les Eclaireurs arabes surpris par un Tigre; Les joyeux farceurs, La Charmeuse de Serpents, etc. dont la presse a fait mention. J'ai été nommé professeur d'un cours d'Adultes à l'Association phylotechnique datant de l'année 1848, et ne comptant pas moins de 600 et quelques professeurs. Je vous assure Mr le Juge qu'à l'âge de 20 ans, je ne penserais pas qu'un jour mon nom serait devenu célèbre non seulement pour la France car à l'Etranger il est connu aussi. A Paris dans tous les salons l'on me connaît avantageusement. Vous devez bien penser Monsieur le Juge que ma vie a bien été celle d'un travailleur et non d'un noceur ni d'un homme d'inconduite. J'ai concouru pour les Mairies de Bagnolet, de Vincennes et d'Asnières. J'ai obtenu une mention honorable et trois médailles d'argent, ainsi qu'un diplôme d'honneur qui m'a été décerné par l'Académie littéraire et musicale de France pour une valse que j'ai composée et que j'ai jouée à la Salle Beethoween en présence d'un nombreux public. Aujourd'hui j'ai donc des élèves aussi pour le Violon. L'on m'a toujours fait le reproche que j'étais trop faible de caractère et trop bon, je l'ai prouvé plus d'une fois; et il est certain qu'aujourd'hui, si ne n'avais pas soutenu des malheureux comme je l'ai fait, je serais fortuné.

J'ose espérer, Monsieur le Juge d'Instruction, que dans un sentiment d'Esprit large et bon, vous voudrez bien faire tout votre possible pour que cette si fâcheuse affaire s'arrange pour le mieux pour ma fille pour moi pour ce jeune homme qui lui aussi est père de famille, surtout si lui-même a été victime par de mauvais procédés. Je vous demanderai donc en grâce toute votre indulgence.

Dimanche matin j'ai mon cours de 9 heures à 10 heures 3/4 à l'Ecole de La

Ville rue d'Alésia 132, le matin. Si c'était un effet de votre bonté, je vous prierai de me mettre en liberté provisoire afin que je puisse continuer mes travaux qui sont en train et de commande. Je vous ferai un cadeau Monsieur le Juge dont vous n'aurez pas à vous plaindre; pour vous exprimer ma reconnaissance.

J'ai écrit au Directeur de la Succursale de la Banque de France à Meaux pour le prier au nom de ma fille de mes services rendus et de ma vie de souffrance et de travail, de ne pas poursuivre cette si fâcheuse affaire; M. Sauvaget pouvant rendre l'argent.

J'espère que vous aussi Monsieur le Juge vous voudrez bien au nom de l'humanité et dans un esprit de grandeur d'âme et de Bonté être aussi indulgent, vu mon âge de 63 ans.

Dans un bon espoir, en voyant que cette lettre est celle d'un homme de dévouement et travailleur, que vous voudrez bien lui accorder ce qu'il vous demande et vous prie de recevoir toute sa reconnaissance et ses souvenirs affectueux.

Henri Rousseau
en prévention à la Santé

Vous voudrez bien ne pas briser une carrière si péniblement acquise. Mon Cours a lieu Dimanche matin 8-12 courant de 9 heures à 10 1/2.

13 Xbre 1907 [...]

Monsieur le Juge,

Excusez-moi si je prends la liberté de m'adresser à vous de nouveau Monsieur le Juge pour vous demander toute votre indulgence. Puisque vous voyez maintenant que je n'ai été que l'instrument de Sauvaget; ne connaissant absolument rien aux affaires de La Bourse ni de La Banque, n'ayant jamais possédé des sommes qui me permissent de jouer; me tenant toujours à mon intérieur et à mon travail, seuls. Du reste si j'avais fait autrement je n'aurais pu développer l'intuition naturelle qui était en moi; et que mes parents eux-mêmes ignoraient. Car j'avais près de 40 ans, lorsque je fis mes débuts dans les Arts. Je fus encouragé par des peintres déjà célèbres, tels que M. Gérôme, Cabanel, Ralli, Valton, *Bouguereau* etc. même Monsieur *Fallières* alors qu'il était Ministre de l'Instruction publique; et qui aujourd'hui est Président de la République Française, fut sollicité par le regretté peintre *Clément* son ami de m'aider et de m'encourager. Monsieur Clément était le Directeur des Beaux Arts de l'Ecole de Lyon; qui était mon voisin de la rue de Sèvres 135 que j'ai habité pendant 20 ans. Mes Supérieurs de l'Octroi me donnaient un Service plus doux afin que je puisse travailler plus facilement car *pendant 23 ans* je fis un service de 24 heures consécutifs. Je leur en suis encore reconnaissant aujourd'hui. Ils ont aidé à donner à la France notre patrie l'un de ses enfants qui n'a eu qu'un but de la rendre encore plus grande aux yeux de l'Etranger. Vous aussi Monsieur le Juge, vous voudrez bien dans votre grandeur et votre bienveillance me protéger, continuer ce que d'autres ont fait, a perfectionner mon œuvre par mon assiduité mon courage; vous jurant bien qu'à l'avenir je ne me laisserai plus entraîner dans de pareilles combinaisons; ce dont encore une fois je ne me serais jamais douté.

Cité *in* Maurice Garçon,
Henri Rousseau, accusé naïf,
Quatre Chemins Editard, Paris, 1953.

La plaidoirie de maître Guilhermet

*A la demande d'Henri Certigny,
Me Guilhermet a récrit en 1951 sa
plaidoirie (il en avait perdu l'original).*

Messieurs de la Cour
Messieurs les Jurés,

Les débats tour à tour comiques et tragiques n'ont pas à mon avis, qui je l'espère sera tout de même le vôtre, apporté la preuve de la culpabilité d'Henri Rousseau. Ce qui est surabondamment établi, c'est l'incommensurable naïveté du peintre douanier.

Pourtant, dans son réquisitoire, Monsieur l'Avocat Général vous a déclaré qu'il ne croyait pas à une telle naïveté et qu'il tenait l'accusé pour un mystificateur capable de toutes les tromperies. Monsieur le Président lui-même a vivement incriminé l'art de ce peintre baroque.

Je me permets de répondre à Monsieur le Président avec toute la déférence que je lui dois, que je tiens sa science juridique pour mieux établie que ses connaissances en matière picturale. En cette matière, ce qui paraît ridicule aux uns représente pour d'autres un effort méritoire. Vous allez peut-être sourire si je dis que la peinture de Rousseau, très décorative, rénovera peut-être un jour l'art de peindre.

De toutes manières, la Cour d'Assises n'est pas un jury d'art chargé de distribuer des médailles et des récompenses, mais bien un groupement d'hommes qui doivent rechercher si l'accusé est coupable d'une faute contre la probité, et dans notre cas, s'il a commis un crime. [...]

Même si l'acte reproché apparaît comme l'évidence même, vous avez le pouvoir de répondre non! sur la question de culpabilité. Vous acquitterez si l'accusé a été entraîné à rendre un service suspect, si des paroles captieuses ont troublé l'accusé, si l'ascendant venait d'un personnage que l'accusé croyait important, si ce personnage a agi sur la volonté de ce dernier, en un mot si celui-ci a été trompé. Et comment ne l'aurait-il pas été quand il a fallu pour réaliser l'opération conçue par Sauvaget, organiser un mécanisme bancaire très compliqué?

Ceux d'entre vous, Messieurs les Jurés, rompus aux opérations financières l'ont peut-être compris, mais d'autres et le défenseur de Rousseau lui-même ont dû faire un effort intellectuel dont le peintre douanier était absolument incapable. [...]

Sauvaget, beau parleur, dénué de tout scrupule, cauteleux et rusé, employé de banque depuis de longues années, n'eut aucune peine à convaincre Rousseau du caractère régulier de l'opération.

Henri Rousseau, vous l'avez déjà jugé par le petit tableau que j'ai fait passer sous vos yeux, et pour qu'il n'y ait pas d'erreur «ce sont des singes», vous ai-je dit. Le tableau représente en effet des singes dans une forêt vierge, tenant dans leurs mains des oranges aussi grosses que des œufs d'autruche. [...]

Et maintenant parlons de ce peintre tant décrié. Ses tableaux sont très nombreux. Je les cite au hasard : *un Soir de carnaval, La Guerre, L'Explorateur surpris par un tigre, Le lion affamé se jette sur l'antilope*, etc.

Chaque année, l'accusé présentait ses œuvres à l'Exposition des indépendants. Il était la risée de la plupart des visiteurs. De prétendus admirateurs lui apportèrent qui, un bouquet de chardons, qui une botte de carottes, les uns pouffaient de rire derrière son dos, d'autres lui faisaient des compliments outranciers. «Vous dépassez l'œuvre de votre homonyme Théodore Rousseau», lui écrivait un prétendu admirateur. Rousseau ne se rendait pas compte du caractère ironique et dérisoire de ces félicitations. Il restait impassible, supportant sans sourciller tous les quolibets et continuait de peindre imperturbablement.

Alors, Messieurs les Jurés, ne comprenez-vous pas maintenant pourquoi le douanier a été la dupe facile d'un homme rompu aux affaires, et qui a encaissé la plus grosse partie du montant du chèque? Comment ce peintre du Moyen Âge pouvait-il se rendre compte de la nature d'un chèque? Sa peinture et son intelligence elle-même étaient d'une époque où l'on ne connaissait nullement les chèques.

J'ajouterai encore un trait qui confirme le caractère simpliste de cet homme. Lorsque M. le Juge d'Instruction eut vu les tableaux de l'inculpé que j'avais montrés, le Juge se rendit compte qu'il avait incarcéré un primitif, dans toute l'acception du terme. A ma demande, Rousseau fut mis en liberté provisoire.

Sitôt sorti, le peintre vint remercier son défenseur et lui demanda de téléphoner pour annoncer à sa fiancée l'heureux événement. Celle-ci était gérante d'un dépôt de lait Maggi, boulevard des Batignolles. Rousseau n'avait jamais usé du téléphone. Son défenseur dut donc appeler, par le truchement d'un commerçant voisin, la gérante de Maggi. Rousseau se mit à crier à tue-tête pour annoncer sa mise en liberté. Comme je lui faisais observer qu'il allait ameuter tous les locataires de ma maison : «Je crie très fort, me répondit-il, pour qu'elle entende, car elle est très éloignée.»

Voilà l'accusé que vous avez devant vous, Messieurs les Jurés. Vous rendrez en faveur de ce peintre primitif, à la fois naïf dans ses œuvres et dans son esprit, un verdict d'acquittement!

Cité par Henri Certigny,
op. cit.

Le banquet du Bateau-Lavoir

Le Bateau-Lavoir est, au début du siècle, sur la Butte-Montmartre, le foyer de l'avant-garde. Le banquet offert par Picasso, dans son atelier, en 1908, au Douanier Rousseau, constitue l'un des grands moments de son histoire. Dans l'ouvrage qu'elle a consacré au Bateau-Lavoir, Jeanine Warnod, critique d'art, fait parler les participants de cette folle soirée.

Pablo Picasso

Le pittoresque du Douanier Rousseau le fait admettre dans la «bande à Picasso». Fernande Olivier le décrira :

«Ce brave homme, un peu voûté, qui trottinait plutôt qu'il ne marchait, aux cheveux gris, qu'il avait conservés épais en dépit de ses soixante-cinq ans, avec son allure de petit rentier, portait sur son visage effaré le rayonnement de sa bonté. Son teint s'empourprait facilement dès qu'il était contrarié ou gêné. Il acquiesçait généralement à tout ce qu'on lui disait, mais on sentait qu'il se réservait et n'osait pas dire ce qu'il pensait.»

Picasso découvre chez le père Soulié un grand portrait de femme debout devant une fenêtre, tournant le dos à un paysage montagneux. Il achète la toile de cet inconnu, voyant là une simplification des formes et des couleurs ainsi qu'une stylisation qui lui plaît.

Cet intérêt que les cubistes portent à Rousseau, le Douanier le comprend dans un tout autre sens. Ainsi dit-il à Picasso : «Nous sommes les deux plus grands, toi dans le genre égyptien, moi dans le genre moderne.» Or, comme l'écrit Kahnweiler, «il est de toute évidence que le genre moderne pour Rousseau était Bouguereau, Bonnat, les Artistes Français et il ne réussissait pas à faire ce que faisaient ces peintres-là, parce qu'il valait mieux qu'eux».

Picasso, Léger et Delaunay dont la mère avait commandé, en 1907, la *Charmeuse de serpents*, trouvent dans la peinture de Rousseau une écriture tout à fait originale. Mais, en 1909, une première exposition particulière organisée par Uhde dans une petite galerie de la rue Notre-Dame-des-Champs n'attire pourtant aucun visiteur. Admirée par les uns, raillée par les autres, la peinture naïve de Rousseau n'est appréciée à cette époque que par quelques initiés. Le banquet donné en son honneur au Bateau-Lavoir devient un événement sans précédent. Picasso et ses amis veulent, de bonne foi et de bon cœur, faire plaisir au vieux Rousseau en organisant une fête dont il sera la vedette.

«Au Bateau-Lavoir, nous n'avions qu'un but, écrira André Salmon dans ses *Souvenirs sans fin*, donner à Rousseau un soir de joie, sans que personne ne puisse jamais connaître le droit de lui dire après : "Rousseau, ils se sont foutus de toi." On a tenté cela tout de même.»

Pourtant, tous ceux qui considèrent le Douanier comme un simple d'esprit voient là une bonne blague. Et la confusion fut totale lorsque Apollinaire publie en janvier 1914, dans les *Soirées de Paris consacrées à Rousseau*, un récit fantaisiste. Les détracteurs de Rousseau s'en servent pour ridiculiser un peu plus l'homme et sa peinture.

Parmi les témoins du banquet, Fernande Olivier, Gertrude Stein, André Salmon et Maurice Raynal ont décrit cette fête chacun à sa manière. On se rapporte toujours au texte de Maurice Raynal, dans *Les Soirées de Paris* de janvier 1914, même s'il n'est pas celui qui donne le récit le plus fidèle de l'événement :

«Au Banquet Rousseau en 1908, rien ne fut prémédité, ni organisé. Il n'y eut ni tapage excessif, ni fantaisies stupides à la Montmartroise, ni déguisements et ce fut seulement grâce à la qualité de certains des assistants que la fête prit les proportions que l'on va connaître...

La salle du festin fut l'atelier de Picasso. C'était un véritable hangar de ferme soutenu de poutres formidables mais trop imposantes pour être vraies. A huit heures du soir, tout était fin prêt.

CLÉMENCE

VALSE avec INTRODUCTION pour VIOLON OU MANDOLINE PAR Henri ROUSSEAU

sauf toutefois le dîner.

Les invités devaient être assez nombreux. On y comptait trois amateurs et collectionneurs venus de New York, Hambourg et San Francisco, presque exprès, plus des peintres : Mlle Marie Laurencin, Jacques Vaillant, Georges Braque, A. Agéro, et puis des écrivains et poètes, Guillaume Apollinaire, Max Jacob, Maurice Cremnitz, André Salmon, René Dalize, moi-même et beaucoup de dames charmantes, jolies et non vêtues «à l'artiste».

Or, dès six heures du soir, une certaine effervescence régnait déjà dans l'assemblée, qui s'était réunie au bar *Fauvet*, aux fins d'un apéritif préliminaire. Tout annonçait la gaieté. A la fin cependant, les invités gravirent

retentirent à la porte, qui firent immédiatement cesser tout bruit. On ouvrit; c'était le Douanier, coiffé de son feutre mou, sa canne à la main gauche et son violon à la droite.

L'apparition du Douanier, nu pour ainsi dire, et comme vêtu de son seul violon, fit passer dans l'assistance un frisson attendrissant; c'était là, certes,

un des plus touchants tableaux de Rousseau. Il regarda autour de lui, des lampions allumés le ravirent, son visage se dérida.

Cependant, par suite de conjonctures aujourd'hui encore mal connues, le dîner, commandé pourtant par l'amphitryon chez le bon traiteur, poussa la fantaisie jusqu'à n'arriver pas du tout. On patienta une heure, puis deux, mais en vain; ce ne fut qu'au bout de deux heures vingt que l'hôte, se frappant tout soudainement le front, se souvint tout à coup qu'il s'était trompé de jour dans la rédaction de sa commande. Le dîner ne parvint, en effet, que le surlendemain. [...]

Le Douanier sortit son violon, une sorte de violon d'enfant, et joua l'une de ses œuvres intitulée *Clochettes*. Cette fois, plus de mélancolie; d'autres chansons suivirent et l'on parla bientôt de danser. Le Douanier joua sur son violon une valse de lui, *Clémence*.

Bientôt Rousseau ne tint plus en place. D'ailleurs, il y avait là un lampion qui lui laissait tomber avec une régularité remarquable des gouttes de cire brûlante sur la tête, aussi préféra-t-il se déplacer et chanter tout son répertoire. [...]

Le Douanier faisait danser les dames au son de son violon, un accordéon, puis un harmonium étaient venus le seconder, les têtes tournaient, le petit jour naissait,

le rue Ravignan. On n'oublia qu'un Danois, qui voulait absolument terminer un discours commencé. L'entrée chez Picasso fut tumultueuse. Trois coups discrets

les bouteilles finissaient et quelques-uns des invités s'étaient déjà esquivés.»

Salmon dans ses *Souvenirs sans fin* s'élèvera contre ce récit qu'il détruira phrase par phrase. Ainsi, il affirmera qu'il n'y eut jamais rien de «formidable» dans l'atelier de Picasso; qu'on n'oublia aucun Danois au bar *Fauvel* pour la bonne raison qu'il n'y avait pas de Danois. Picasso et Fernande ne s'étaient pas trompés dans la commande du dîner car il ne pouvait être question de bon traiteur chez des gens aussi peu fortunés. En outre, il était impossible de faire un repas de fortune à 10 h 20 le soir quand tous les magasins sont fermés. Le repas avait donc été prévu par Fernande.

Salmon ajoutera :

«Le Banquet Rousseau s'est en somme aussi honnêtement déroulé qu'un déjeuner de première communion. Après le départ de Rousseau en fiacre, les folies ont commencé parce qu'on n'avait pas trente ans et qu'on était content d'avoir fait plaisir.»

Gertrude Stein donne d'autres détails : le menu, par exemple, qui comporte du riz à la valencienne préparé par

Fernande Olivier, remplaçant les plats commandés chez Félix Potin qui n'arrivent pas en temps utile; les scènes d'ivresse de Marie Laurencin qui risquent de gâcher la fête que Picasso et Apollinaire veulent sauver; la description du vestiaire des dames dans l'atelier de Jacques Vaillant et du vestiaire des hommes servant aussi de cuisine, chez Max Jacob; et tous les discours, poèmes et chansons lancés dans une cacophonie générale.

Salmon reprochera à Gertrude Stein de confondre la fin de la soirée avec le banquet proprement dit. L'Américaine n'est pas habituée aux farces de rapins et prend pour argent comptant ce qui n'est que blagues un peu fortes. [...]

Quoi qu'il en soit, le brave Rousseau ne voit dans cette fête qu'un témoignage d'amitié.

Jeanine Warnod,
Le Bateau-Lavoir
Éditions Mayer, 1986

Picasso est toujours resté fidèle au Douanier, dont il a gardé, entre autres œuvres, cet autoportrait et ce portrait de Josephine.

Le peintre et le poète

Séduit par l'originalité du peintre et la sincérité de l'homme, Apollinaire lui commande son portrait. Rousseau entreprend de le représenter avec sa compagne Marie Laurencin, pour le tableau La Muse inspirant le poète. Les modèles ne sont pas très assidus aux séances de pose et Apollinaire ne semble pas montrer un grand empressement à payer l'artiste.

Guillaume Apollinaire

Rousseau a d'abord quelques difficultés à organiser les séances de pose avec ses modèles et envoie plusieurs lettres à «Monsieur Apollinaire, homme de lettres»

Paris, le 7 octobre 1908

Cher Ami,

Vous pourrez venir la semaine prochaine, à partir de lundi, soit le matin ou après déjeuner, comme vous aimerez mieux. Pour la pose, il faut compter au moins huit jours. Lorsque vous serez là, nous conviendrons pour la composition et la grandeur de la toile qu'il faudra que je commande.

Je pense que vous allez bien ainsi que votre dame, et que pour elle-même va bien la question de son tableau. Pour moi, j'avais écrit à M. Francis Jourdain, qui ne m'a pas encore répondu; cela fait qu'au sujet de mes toiles, qui sont toujours au secrétariat, je n'ai aucune solution favorable. J'avais vu M. Hamm, président de la Section des Arts décoratifs, lequel m'a dit qu'il ne pouvait rien faire, que je n'avais qu'à me conformer à la décision, que ma peinture ne plaisait pas à tout le monde! Vous devez comprendre le pourquoi que l'on n'a pu me dire; il y a un parti pris nécessairement, parti pris qu'il faut vaincre. Si j'avais le temps, je vous en dirais bien d'autres; lorsque vous serez là, je vous les ferai connaître, et vous comprendrez combien j'ai souffert, combien j'ai lutté déjà.

Je vais terminer, cher Ami, en vous disant à lundi et en vous serrant cordialement la main. Bien des choses à votre dame.

H. Rousseau.

Paris, le 9 octobre 1908

Cher Ami,
Je suis allé, jeudi, pour vous voir et

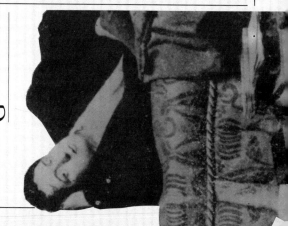

n'ai pas eu le bonheur de vous rencontrer. Vous pourrez venir mercredi ou vendredi et samedi. Je ferai tout mon possible pour bien vous ébaucher afin que je puisse terminer votre portrait sans vous déranger. J'espère que votre santé est toujours bonne malgré le froid qui sévit en ce moment; ainsi que votre dame.

Peut-être donnerai-je une soirée samedi, je l'espère du moins; pourrez-vous être des nôtres? Il est bien convenu que nous irons acheter la toile et les couleurs ensemble. Je termine en attendant le plaisir de vous voir, et en vous serrant cordialement la main. [...]

Votre Ami, H. Rousseau.

Paris, le 23 novembre 1908

Je viens de recevoir le télégramme. Si vous ne pouvez absolument venir demain matin mardi, venez mercredi sans manquer. Pour son portrait, il y a peu de choses à faire maintenant, seulement il ne faut plus tarder, la peinture séchant, cela ne ferait pas bien, c'est double travail. J'ai beaucoup travaillé le costume de votre dame. La pensée est presque terminée, péplum violet; j'ai travaillé le fond aussi, tout va bien; le tableau plaît beaucoup. Il ne faut donc plus tarder maintenant, afin que je puisse bien le continuer et faire une jolie composition qui, certainement, est appelée à faire sensation.

À demain mardi ou mercredi, sans manquer, à 1 heure et demie.

En attendant, cordiale poignée de main, bien des choses à votre dame, qui sera aussi contente que je l'espère.

Votre Ami, H. Rousseau

À demain mardi ou mercredi, sans manquer; la pose ne sera pas longue maintenant.

Lettres publiées dans Les Soirées de Paris, *15 janvier 1914, et citées par Henri Certigny*

Apollinaire raconte à sa manière l'histoire du portrait.

Le Douanier fit deux fois mon portrait dans une composition ayant pour titre *La Muse inspirant le poète*; la réplique est plus grande que le premier tableau, où il y avait des giroflées au premier plan, tandis que dans le second tableau des œillets de poète ont pris la place des giroflées.

Lorsque le tableau aux giroflées eut paru au Salon des indépendants, la presse tout entière se réjouit de mon portrait, qui fut reproduit dans *Comœdia*.

La presse tout entière fut unanime dans ses conclusions; ce portrait ne me ressemblait en aucune façon. Les uns trouvaient que le tableau était touchant, les autres qu'il confinait au grotesque, mais pour ce qui regardait la ressemblance tout le monde est tombé d'accord : elle était nulle. De mon côté, je m'étonnai. Comment se faisait-il, puisque ce portrait ne me ressemblait pas, que l'on m'eût reconnu? J'avais prié le Douanier de ne pas mettre mon nom en avant, le peintre avait donc manqué à sa parole! [...]

D'autre part, ni moi ni le Douanier ne fréquentions les salles de rédaction et nous connaissions peu de journalistes. Ils ne faisaient alors et ne font encore pas grand cas de moi, et le méprisaient, lui, complètement. Comment, dans ces conditions, avait-on pu me reconnaître assez pour trouver que je n'étais pas ressemblant? Comment, malgré la mention du catalogue, tous les journaux intitulèrent-ils le tableau : La Muse ou bien Le Poète Guillaume Apollinaire inspiré par la Muse? Tous cela est encore bien mystérieux et les moyens d'information dont disposent les journaux sont insondables.

Je suis disposé à admettre que ce portrait était d'une ressemblance si frappante et si nouvelle qu'elle a ébloui malgré eux ceux qui ne s'en rendaient pas compte et n'y voulaient pas croire. La peinture est l'art le plus pieux. Nous avons assisté, en 1909, à un fait de suggestion collective pareil à ceux qui ont donné naissance aux religions les plus pures. C'est une sublime aventure qui valait la peine d'être vécue. Ma face a servi à une expérience unique, que je n'oublierai pas.

Au demeurant, il eût été impossible que le portrait en question ne fût pas très ressemblant. J'ai posé un certain nombre de fois chez le Douanier et avant tout il mesura mon nez, ma bouche, mes oreilles, mon front, mes mains, mon corps tout entier, et ces mesures, il les transforma fort exactement sur sa toile, les réduisant à la dimension du châssis. Pendant ce temps pour me récréer, car il est bien ennuyeux de poser, Rousseau me chantait des chansons de sa jeunesse. «Moi je n'aim' pas les grands journaux / Qui est-c'que ça m'fait qu'les Esquimaux / Aient ravagé l'Afrique / Ce qui m'faut à moi c'est l'P'tit Journal, / La Gazett' la croix d'ma mère. / Tant plus qu'y a d'noyés dans l'canal / Tant plus qu'c'est mon affaire.» Ou bien : «Aïe! aïe aïe que j'ai mal aux dents.»

Et je restais immobile, admirant avec quelles précautions il s'opposait à ce qu'aucune fantaisie autre que celle qui caractérisait sa personnalité ne vînt détruire l'harmonie de son dessin mathématiquement semblable à la figure humaine qu'il voulait représenter. S'il ne m'avait pas peint ressemblant, [il] n'aurait fait aucune erreur, les chiffres seuls se seraient trompés. Mais l'on sait que même ceux qui ne me connaissaient pas ne m'ont immédiatement reconnu. Et ce tableau, si longtemps médité, tirait à sa perfection. Le Douanier avait fini de plisser la robe magnifique de ma Muse, il avait achevé de teindre mon veston en noir, ce noir que Gauguin déclarait inimitable; il s'apprêtait à terminer un ouvrage qui est de la peinture sans aucune littérature quand il eut tout à coup, pour me faire honneur, une idée nouvelle, une idée charmante, celle de peindre au premier plan une rangée délicate d'œillets de poète. Mais grâce à la science incertaine des botanistes de la rue Vercingétorix, la peinture pieuse et pure l'emporta encore sur la littérature, et pendant mon absence, le Douanier se trompant de fleurs peignit des girofflées. Il répara son erreur dans le courant même de l'année en tirant de nouveau mon portrait aux œillets de poète.

Guillaume Apollinaire,
Écrits sur l'art, Gallimard, 1991

Le peintre eut bien du mal à se faire payer. Une lettre parmi d'autres en témoigne.

Paris, le 28 avril 1909

Cher Ami,

Je suis bien contrarié d'être obligé de t'écrire ces lignes; ayant craint devant ces messieurs de t'expliquer ma situation en ce moment. Ayant eu mon terme à payer, plus un billet assez fort à mon marchand de couleurs, je suis très gêné, et ce soir il me reste 15 centimes pour souper. J'espère que tu voudras bien me donner quelque argent d'avance pour ton portrait. Plusieurs m'ont demandé combien je l'avais vendu, j'ai répondu 300 francs, ce quoi ils ont trouvé que ce n'était pas cher; c'est vrai que c'était en ami.

Je ne demanderais pas mieux que d'attendre d'avoir fini, mais j'ai eu trop de revers pour ne pas avoir besoin, il est vrai que j'ai ma pension : comment ferais-je s'il en était autrement; je n'ai pu en mettre de côté.

H. Rousseau, *op. cit.*

Apollinaire fut vite intéressé par Rousseau, mais ses premières critiques témoignaient d'une certaine réserve. Ce n'est plus le cas dans ce texte de 1914.

On pourrait aussi l'appeler le Maître de Plaisance, tant à cause du quartier où il demeurait, qu'en raison de ce qui rend ses tableaux si agréables à regarder.

Peu d'artistes ont été plus moqués durant leur vie [...], et peu d'hommes opposèrent un front plus calme aux railleries, aux grossièretés dont on l'abreuvait. [...] Il voulait voir dans les moqueries mêmes l'intérêt que les plus malveillants à son égard étaient en quelque sorte obligés de témoigner à son œuvre. Le Douanier avait conscience de sa force. Il lui échappa, une ou deux fois, de dire qu'il était le plus fort des peintres de son temps. Et il est possible que sur bien des points il ne se trompât point de beaucoup. C'est que s'il lui a manqué dans sa jeunesse une éducation artistique, il semble que, sur le tard, lorsqu'il voulut peindre, il ait regardé les maîtres avec passion et que presque seul d'entre les modernes, il ait deviné leurs secrets.

Ses défauts consistent seulement parfois dans un excès de sentiment, presque toujours dans une bonhomie populaire au-dessus de laquelle il n'aurait pu s'élever et qui contrastait un peu fort avec ses entreprises artistiques et avec l'attitude qu'il avait pu prendre dans l'art contemporain.

Mais à côté de cela que de qualités! Et il est bien significatif que la jeunesse artistique les ait devinées! On peut l'en féliciter surtout si son intention n'est pas seulement de les honorer, mais encore de les recueillir.

Le Douanier allait jusqu'au bout de ses tableaux, chose bien rare aujourd'hui. On n'y trouve aucun maniérisme, aucun procédé, aucun système. De là vient la variété de son œuvre. Il ne se défait pas plus de son imagination que de sa main. De là viennent la grâce et la richesse de ses compositions décoratives. D'avoir servi pendant la campagne du Mexique, il avait gardé un souvenir plastique et poétique très précis de la végétation et de la faune tropicales.

Il en est résulté que ce Breton, vieil habitant des faubourgs parisiens, est sans aucun doute le plus étrange, le plus audacieux et le plus charmant des peintres de l'exotisme. *La Charmeuse de serpents* le montre assez. Mais Rousseau ne fut pas seulement un décorateur, ce n'était pas non plus un imagier, c'était un peintre. Et c'est cela qui rend la compréhension de ses œuvres si difficile à quelques personnes. Il avait de l'ordre, et cela se remarque non seulement dans dessins ordonnés comme des miniatures persanes. Son art avait de la pureté, il comporte dans les figures féminines, dans la construction des arbres, dans le chant harmonieux des différents tons d'une même couleur, un style qui n'appartient qu'aux peintres français, et qui signale les tableaux français où qu'ils se trouvent. Je parle bien entendu des tableaux de maîtres.

La volonté de ce peintre était des plus fortes. Comment en douter devant ses minuties qui ne sont pas des faiblesses, comment en douter quand s'élève le chant des bleus, la mélodie des blancs dans cette Noce où une figure de vieille paysanne fait penser à certains Hollandais.

Guillaume Apollinaire,
Écrits sur l'art,
Gallimard, 1991

Polémique autour d'un portrait

On a cru reconnaître l'écrivain orientaliste Pierre Loti sur le tableau que Rousseau a présenté aux Indépendants de 1906 sous le titre Portrait de Monsieur F. Or rien n'indique que les deux hommes se soient rencontrés. Dans une lettre au directeur de la galerie Charpentier, Edmond Frank, un écrivain moins connu, affirme qu'il a été le modèle de cette œuvre.

Paris, le 20 août 1952

Monsieur,

«Je vois dans le numéro du 13 mars 1952 du périodique *Point de Vue et Images du Monde*, qui m'est communiqué par une mienne cousine, la reproduction de plusieurs portraits exposés à l'époque dans votre Galerie.

Parmi ces toiles, l'une, portant le n° XX, est donnée comme représentant le portrait de Pierre Loti par le Douanier Rousseau.

Or, je puis vous affirmer que cette œuvre :

1° n'a jamais été le portrait de Loti;

2° qu'elle est mon propre portrait, exécuté par le Douanier Rousseau à mon domicile (pavillon n° 6 du Château des Brouillards, 13, rue Girardon, où j'habitais en famille), depuis j'habite au n° 14 même rue. L'exécution eut lieu entre les années 1909 et 1910; je ne saurais préciser étant donné l'ancienneté de l'événement.

Elle fut exposée à l'époque au Salon d'été des indépendants et portait au verso, collée sur la partie vierge de la toile, une coupure du journal le *Paris musical et dramatique* dont j'étais directeur, le dit entrefilet – laudatif et publicitaire – était une véritable galéjade.

A l'endroit, fixé au cadre, une [*sic*] cartouche de carton doré portait la mention : «Portrait d'un homme illustre qui désire garder l'anonymat.» Ce qui eut beaucoup de succès auprès du public visiteur.

Il est aisé de retrouver sur la reproduction, publiée le 13 mars 52, tous les éléments de la composition initiale, savoir :

1° les quatre cheminées d'une usine de Saint-Denis, ou de Saint-Ouen, qui constituaient l'une des caractéristiques du panorama que l'on découvrait – et

que l'on découvre encore – des fenêtres de la pièce qui était notre salle à manger familiale ;

2° sur un plan plus rapproché à droite, un grand acacia qui se trouvait alors dans le jardin de la Feuillée où, juste en bas de mes fenêtres étaient groupés des ateliers d'artistes.

Avant que l'œuvre figurât aux Indépendants, le Douanier Rousseau me l'emprunta – pour quelques retouches, me dit-il – et la garda plus d'un mois. Je l'ai toujours soupçonné d'en avoir fait une réplique dans un but commercial. D'ailleurs un de mes amis, qui connaissait cette toile, m'affirma par la suite l'avoir vue dans un musée en Autriche, – le nom de la ville m'échappe.

J'ajouterai que tous les détails du portrait : le fez turc dont je m'étais coiffé pour la circonstance, la forme particulière du faux col, la cigarette, enfin, à ma droite, le chat dont la poitrine est rayée de zébrures rectilignes, constituent les marques indéniables d'une composition exigée par moi et qui, sauf le cas de réplique – ou de copie – est unique en son genre. La ressemblance avec mes propres traits n'est pas douteuse ; seul le regard diffère, les yeux, qui avaient été faits au compas.

présentaient beaucoup plus de fixité dans l'original. Je regrette de ne pouvoir vous en apporter la preuve patente au moyen d'une confrontation qui eût été décisive.

Mais hélas ! j'ai détruit moi-même, en 1911, la dite toile après l'avoir détachée de son châssis, sans soupçonner un instant la valeur qu'elle pourrait atteindre par la suite.

La présente n'est pas une réclamation, elle ne vise aucun but intéressé, son seul objet est de constater une imposture certaine de la part de M. X...., qui la présenta comme un portrait de Pierre Loti, et de fixer en même temps mon point d'histoire en raison de la publicité faite autour de cette œuvre picturale extravagante dont l'origine est de ma part une gageure à la suite d'un pari fait entre amis.

Sans prétendre à rien d'autre que de rétablir la vérité, je vous prie d'agréer, Monsieur, l'assurance de ma considération distinguée.

Signé : Edmond Frank
14, rue Girardon, Paris.

Copie de la lettre de M. Frank
archivée au Kunsthaus à Zurich

Deuxième à partir de la droite, Pierre Loti
à Istanbul

Les premiers critiques

Rousseau n'a pas de chance avec la critique. Elle s'intéresse peu à lui de son vivant, si ce n'est pour rapidement le dénigrer. Félix Vallotton, peintre et écrivain, est un précurseur éclairé quand il remarque son importance, en 1891, dans un article du Journal suisse. Alfred Jarry et Guillaume Apollinaire sont aussi parmi les premiers à aimer son œuvre. Dans les textes présentés ici, Louis Roy, Ardengo Soffici et Robert Delaunay se sont attachés chacun à un chef-d'œuvre du Douanier.

La Guerre

Louis Roy est le premier critique à consacrer un article important au Douanier Rousseau. Ce texte intitulé «Un isolé» paraît un an après la présentation de La Guerre au Salon des indépendants de 1894.

A l'exposition des artistes indépendants, en 1894, *La Guerre*, de M. Rousseau, a été certainement la toile la plus remarquable. Ni résultat complet, ni œuvre parfaite, ce tableau pourtant, n'en déplaise à certains, affirme une courageuse tentative dans le sens du symbole. L'artiste qui a voulu peindre ainsi dit une fois de plus sa personnalité : cette manifestation n'a pu paraître étrange que parce qu'elle n'évoquait aucune idée de chose déjà vue. N'est-ce point là une qualité maîtresse? Pourquoi l'étrangeté pourrait-elle faire naître la moquerie? De quel droit se moque-t-on d'une tentative artistique? Même quand l'essai a été infructueux, et ici ce n'est point le cas, la moquerie n'a pas sa raison d'être; c'est l'indice d'un esprit mesquin.

En général, dans notre société, l'homme a été habitué, dès l'enfance, à classer, à numéroter, à étiqueter, à enfermer toutes choses dans de petites boîtes. Chaque partie de la Création doit forcément entrer dans une case; sinon, l'homme, dérouté, et vexé de ne pouvoir tout comprendre, s'empresse de décréter l'absurdité de ce que son esprit n'a pu pénétrer. En d'autres termes, avec toute la modestie dont l'homme est capable, il ose dire : «Je ne comprends pas, donc c'est idiot.» Malgré le progrès indiscutable de l'espèce humaine, progrès manifesté d'une manière assez évidente par le télégraphe, le téléphone, la bicyclette et les montagnes russes, il est certain que nous sommes moins libéraux que ne l'étaient nos pères au Moyen Age; car ils avaient le respect de la personnalité incomprise lorsqu'ils disaient : *Credo quia absurdum.* Il en a été pour M. Rousseau comme pour tous les novateurs. Il procède de lui seul, il a le mérite, rare aujourd'hui, d'être absolument personnel. Il tend vers un art nouveau. Cette tentative, très intéressante dans l'ensemble, malgré quelques faiblesses, renferme de grandes qualités dans certaines parties, les notes noires, par exemple, qui sont de toute beauté. La composition faite dans le sens horizontal est bien comprise. Cet immense cheval noir, lancé au grand galop et qui occupe toute la largeur de la toile, n'est point banal; c'est même un morceau de haut style. (Cette Guerre a été reproduite dans l'*Ymagier* [n° 2] par une lithographie qui ne donne qu'en esquisse l'apocalyptique beauté du tableau.) Ce cheval sert de monture à la Guerre, qui, de sa main droite, brandit une épée, et de la gauche porte une torche enflammée. A terre, gisent des monceaux de cadavres de gens quelconques, des gras et des maigres, surtout des maigres, des miséreux, des prolétaires. Tous sont morts ou mourants. Parmi ceux qui respirent encore, l'épouvante est à son comble. De la nature, plus rien ne subsiste. — Si, il reste deux arbres dépouillés de leurs feuilles, l'un gris, l'autre noir; et ses corbeaux qui, attirés par l'odeur du sang, se sont précipités pour se repaître de la chair des victimes de la guerre. — Le sol est jonché de débris informes; la terre ne porte plus aucune verdure, pas même le plus petit brin d'herbe. Cette peinture exprime bien la désolation causée par un désastre irréparable; bientôt, plus rien de vivant. Le feu, comme l'indiquent les lointaines lueurs du ciel à l'horizon, aura achevé l'œuvre commencée par le fer. Dans un moment, tout sera mort, et à jamais. Et la Guerre chevauche toujours, impassible, inexorable, implacable comme une divinité canaque. Elle va, jamais rassasiée de carnage. Rien ne peut l'arrêter dans sa course échevelée. Quelle obsession, quel cauchemar! Quelle pénible impression d'insurmontable tristesse! Il faudrait être de mauvaise foi pour oser prétendre que l'homme capable de nous suggérer de telles idées n'est pas un artiste.

Louis Roy,
«La Guerre, Un isolé, Henri Rousseau»,
Le Mercure de France, mars 1895

Le Rêve

Ardengo Soffici, peintre et critique italien, rend visite plusieurs fois à Rousseau. Il publie une longue étude dans la revue italienne La Voce, *le mois même de la mort du peintre.* Le Mercure de France *reprend ce texte le mois suivant.*

Yadwigha, en fait jeune fille polonaise – on l'a su plus tard – des moins gracieuses à la vérité, mais amie spirituelle du peintre dans sa jeunesse, est allongée toute nue

sur un canapé de velours couleur sang de bœuf, au cœur d'une forêt vierge des tropiques. Le charmeur bien pensant qui l'a éveillée de son beau rêve continue à souffler dans sa flûte, attirant de toutes parts des bêtes fauves. Elle regarde surprise, et même un peu effrayée, un lion et un tigre accourus des premiers aux sons joyeux de l'instrument, qui glissent prudemment, avec de la férocité seulement dans leurs yeux ronds et fixes, autour de la nudité ténébreuse du joueur de flûte, nouveau et original Orphée couvert en tout et pour tout d'un caleçon de bain couleur d'arc-en-ciel. Parmi les plantes grasses et gonflées d'une luxuriance exotique se déroule un serpent noir et rose, et un éléphant à larges oreilles lève sa trompe vers une orange. Sur les branches en fleurs se balance un singe, et des oiseaux de neige ou de flamme s'y reposent en écoutant. Fleurs horribles, espèces de lotus ou de nénuphars monstrueux, feuilles rondes et velues, feuilles veinées de rose comme celles de la vigne turque, ou pointues comme des baïonnettes s'élèvent du sol bouillant et fertile, vers un ciel de perle, dans un silence ami de la lune. La lune blanche et large comme un disque de voie ferrée pend immobile au milieu des branches et des cimes.

Et l'on en vient alors à se demander : mais que signifie cette réunion de choses hétérogènes, qui hurlent d'être ensemble, rapprochées sans la moindre vraisemblance dans ce grand tableau devant lequel le critique sérieux hausse les épaules, tandis que le bon public se décroche les mâchoires, se roule par terre à force de rire, et que le plus accueillant des amateurs d'art lui-même ne peut retenir une grimace d'étonnement et un sourire ? Qu'est-ce que cela signifie ? Eh bien : cela ne signifie rien. Quelqu'un demandait à

l'artiste au moins le pourquoi de ce canapé parmi ces plantes d'une flore inconnue, il lui fut répondu qu'il était absolument nécessaire. C'est qu'Henri Rousseau qui ne raisonne pas, mais travaille de premier jet et selon sa façon particulière de concevoir, avait compris cette vérité, qu'en art tout est permis et légitime si chaque chose concourt à la sincère expression d'un état d'âme.

Ce canapé, ce corps nu, cette lune, ces oiseaux, ces fauves, ces fleurs, soit à cause de leur couleur, soit à cause de leur structure, représentaient pour lui autant d'images qui, indépendamment de toute logique discursive, aboutissaient dans son esprit à une unité purement artistique et il s'en est servi comme des éléments les plus propres à extérioriser une vision qui lui était personnelle. Il se conformait de cette façon aux tendances de l'École de peinture moderne qui veut toujours davantage dépouiller l'art de tout élément rationnel pour s'abandonner entièrement à l'exaltation lyrique qui émane des couleurs et des lignes, vues et conçues indépendamment de leur destination pratique et de leur office de délimitateurs de corps et différenciateurs de corps et d'objet.

Aussi, plutôt que de se demander ce que veulent dire ces choses qui pour le peintre ne sont que des images, il vaudra mieux voir si de leurs formes et de leurs couleurs respectives se dégage ce sentiment poétique que l'auteur a voulu leur faire exprimer; et si oui, reconnaître sa force et en même temps son bon droit de libre créateur. Que si, au surplus, la nouveauté et la singularité de la combinaison nous donnent, à première vue, envie de rire, rions : cela voudra dire peut-être que le peintre n'a pas réussi complètement à se réaliser; mais réfléchissons aussitôt après aux raisons profondes de toute forme d'art, et nous

nous apercevrons peut-être que, comme le veut Rousseau, ce divan de velours rouge est vraiment nécessaire et que l'on ne pourrait pas corriger un doigt «mal dessiné» de la laide Polonaise Yadwiglia, sans que toute harmonie fût détruite.

Le bon Donatello riait aussi de son temps des étrangetés picturales de son timide ami Paolo Ucello; mais quiconque sait ce que veulent dire les mots art et beauté sait aujourd'hui qu'il avait tort et que le toqué qui ne savait pas construire un cheval selon l'anatomie était un des plus frais, des plus sincères, des plus courageux et, pour toutes ces raisons, un des plus grands peintres du Quattrocento et de tous les temps, de Florence, de l'Italie, du monde.

Ardengo Soffici,
Le Mercure de France, septembre 1910

Un centenaire de l'Indépendance

Robert Delaunay, jeune peintre proche du cubisme et très défendu par Apollinaire, a beaucoup d'admiration et d'amitié pour Rousseau, dont il regrette qu'il n'ait pas pu donner libre cours à son sens de la décoration.

Un jour, Rousseau me racontait avec enthousiasme qu'il avait participé à un concours organisé par une mairie des faubourgs qui avait comme but la décoration d'une grande salle. Le jury, d'après lui, l'avait félicité, mais on avait trouvé son projet trop révolutionnaire. Cette anecdote ne me frappait pas autrement, pensant en moi-même que l'esprit du jury devait être quelque chose à peu près dans le style de ceux des Salons officiels. Je ne pensais plus à ce qu'il m'avait raconté lorsque, quelques mois après sa mort, je rencontrais sur les quais, juste en face (oh! ironie) de l'École des Beaux-Arts, pendu en plein air aux boîtes des vieux livres, le petit chef-d'œuvre de l'*Indépendance de la République ou la Carmagnole* dans son format si long. Quelques jours plus tard, au même endroit, je trouvais le tableau, même format, du *Pont de Grenelle*.

Alors je me remémorai l'anecdote du Douanier. J'étais devant les deux projets qui lui avaient servi à concourir pour cette mairie. Je me souvins de ce que m'avait raconté Rousseau. Le peuple dansait sur une pelouse, en ronde effrénée, autour de l'arbre de la République, au centre, décoré de deux drapeaux républicains. L'autre représentait la statue de «la Liberté éclairant le monde» au pont de Grenelle, un jour de neige.

Quelle sublime décoration auraient fait ces deux panneaux exécutés par Rousseau! Quel sens de la surface, de la vie! Quelle beauté de proportion et avec quel bonheur Rousseau se serait prodigué à un tel travail!

Rousseau ne devait pas connaître cette gloire officielle à laquelle, cependant, il avait tant de droits et à laquelle, au fond, il rêvait. A une autre époque, il aurait eu à décorer dans des palais, des murs, sur la commande de mécènes.

A la nôtre, il devait être le pitre de la société bourgeoise, lui si traditionnel, si ordonné. Quelle fatalité insensée!

Je me le rappellerai toujours : en me racontant cette histoire, il y avait une telle ferveur dans sa belle voix! On y sentait toute son application, tout son espoir d'avoir à réaliser un tel travail. Car il était conscient de sa force, de sa valeur. Souffrait-il, au fond, de toute l'injustice de sa vie? Il ne le laissait pas voir, bien qu'une fois il m'eût confié, comme à un ami avec lequel on peut se laisser aller aux confidences : «Tu sais, Robert, je suis anarchiste».

Robert Delaunay,
Les Lettres françaises, du 21 août 1952

BIBLIOGRAPHIE

– Guillaume Apollinaire. *Œuvres en prose*, tome II. «La Pléiade», Gallimard, Paris.

– Alfred Basler, *Henri Rousseau*. Librairie de France, Paris, 1927.

– Henry Certigny. *La Vérité sur le Douanier Rousseau*, Plon, Paris, 1961.

– *Le Douanier Rousseau*, catalogue de l'exposition du Grand Palais. Éditions de la Réunion des musées nationaux, Paris, 1984.

– Me Maurice Garçon, *Le Douanier Rousseau, accusé naïf*, Quatre Chemins Éditard, Paris, 1953.

– Roch Grey, *Henri Rousseau*, Galerie René Drouain, Éditions Tels, Paris, 1943.

– *Henri Rousseau. Une visite à l'Exposition de 1889 et La Vengeance d'une orpheline russe*, préface de Tristan Tzara, Cailler, Genève, 1947.

– André Salmon, *Henri Rousseau*, Somogy, Paris, 1962.

– Wilhelm Uhde, *Rousseau (Le Douanier)*, Jean Marguerat, Lausanne, 1948.

– Dora Vallier, *Tout l'œuvre peint de Henri Rousseau*, Flammarion, Paris, 1970.

– Dora Vallier, *Henri Rousseau*, Flammarion, Paris, 1979.

– Jeanine Warnod, *Le Bateau-Lavoir*, Mayer, Paris, 1986.

TABLE DES ILLUSTRATIONS

110d Robert Delaunay, *La Ville de Paris* (détail), 1910, huile sur toile Musée National d'Art moderne, Centre Georges-Pompidou, Paris.
111h Robert Delaunay, *La Ville de Paris*, 1910, huile sur toile Musée National d'Art moderne, Centre Georges-Pompidou, Paris.
111b *Vue de l'île Saint-Louis prise du quai Henri-IV* 1909, huile sur toile, 33 x 40,6 cm.
112 *Femme en rouge dans la forêt*, v. 1907, huile sur toile, 75 x 59 cm. Ancienne collection Brame et Laurenceau.

113 Georges Michel, *Portrait du Douanier Rousseau*, croquis.
114 Wilhelm Uhde en 1908, photographie. Bibliothèque nationale, Paris.
115 Réunion d'amis et de voisins dans l'atelier de Rousseau, photographie, s. d.
116 Extrait d'une lettre d'Henri Rousseau au marchand Bignou, 20 mars 1910. Musée du Vieux-Château, Laval.
117 Henri Rousseau dans son atelier de la rue Perrel, photographie, 1910.

118 Extrait d'une lettre d'Henri Rousseau au juge d'instruction Boucher, 21 décembre 1907.
122 Pablo Picasso en 1904, photographie. Bibliothèque nationale, Paris.
123 «Clémence», valse composée par Henri Rousseau, L. Barbarin éditeur. Musée du Vieux-Château, Laval.
124 Le Douanier Rousseau jouant du violon dans son atelier de la rue Perrel, photographie, 1906.
125 Pablo Picasso tenant deux tableaux du Douanier Rousseau, photographie de

Gomès, 1965. Musée Picasso, Paris.
126 Guillaume Apollinaire chez lui, photographie. Bibliothèque nationale, Paris.
130 *Portrait dit «de Pierre Loti»*, s. d., huile sur toile, 62 x 50 cm. Kunsthaus, Zurich.
131 Pierre Loti à Istanbul, photographie.
133 *La Guerre* (détail), 1894, huile sur toile, 114 x 195 cm. Musée d'Orsay, Paris.
140 *La Maison de banlieue*, v. 1902, huile sur toile, 35 x 46,4 cm. Carnegie Museum of Art, Pittsburgh. Gift of Sarah Mellon Scaife family, 1969.

CRÉDITS PHOTOGRAPHIQUES 143

REMERCIEMENTS

L'auteur remercie Jeanine Warnod. L'éditeur adresse ses remerciements à Marc Dachy, à l'étude Loudmer à Paris et au musée du Vieux-Château de Laval pour leur aimable coopération.

COLLABORATEURS EXTÉRIEURS

Nathalie Palma a assuré le suivi rédactionnel et la coordination et Any-Claude Médioni la recherche iconographique.

Table des matières